Classiques Larousse

Collection fondée   s

Molière

George Dandin
ou
le Mari confondu

comédie

Édition présentée, annotée et expliquée
par
JACQUES DE MIRIBEL
agrégé de lettres modernes

LAROUSSE

Collection fondée par Félix Guirand et continuée par Léon Lejealle.
© Larousse 1990.
ISBN 2-03-871309-X

Sommaire

Imaginons un entretien avec Molière

L'imagination permet de franchir les époques et d'opérer bien des rencontres. Faisons appel à l'imagination et rendons-nous, par une belle journée de l'automne 1669, dans l'une des propriétés du duc de Beaufort. Nous voici dans un parc magnifique ; un homme de petite taille, vêtu de noir, s'avance vers nous. Une méchante toux le secoue régulièrement. Comment ne pas songer aux commentaires hargneux de ses ennemis :

« En ces yeux enfermés, en ce visage blême,
En ce corps qui n'a plus presque rien de vivant... »
   Le Boulanger de Chalussay, *Élomire Hypocondre* (1670).

C'est Monsieur de Molière, pendant l'un des séjours qu'il effectue régulièrement à la campagne, entre deux répétitions ou deux représentations.

Les présentations faites, le dialogue peut s'engager. Nous complimentons notre interlocuteur sur le grand succès qu'obtient sa dernière création, *Monsieur de Pourceaugnac*, qui a été jouée pour la première fois le 6 octobre à Chambord, devant la Cour. Nous lui demandons quel est son secret.

— C'est une étrange entreprise que de vouloir faire rire les honnêtes gens...

La voix présente ce bégaiement qui est devenu sur la scène un moyen d'obtenir des effets comiques.

Molière s'avance en s'appuyant sur une longue canne. Il ajoute :
— Il ne faut point s'embarrasser avec ces règles dont les messieurs du bel air nous embarrassent tous les jours. Le public est le juge absolu de ces sortes d'ouvrages.

Des luttes incessantes

La réponse est celle d'un homme qui doit affronter des attaques venant de tous côtés. Comment ne pas l'interroger sur la querelle menée par les dévots qui ont empêché pendant quatre années la représentation du *Tartuffe* ?

Philippe Caubère dans le rôle de Molière, sortant de scène, à peine démaquillé. *Molière,* d'Ariane Mnouchkine, 1978.

— Voici une comédie dont on a fait beaucoup de bruit, qui a été longtemps persécutée ; et les gens qu'elle joue ont bien fait voir qu'ils étaient plus puissants en France que tous ceux que j'ai joués jusqu'ici...

Molière reste une minute silencieux, puis reprend :

— J'ai eu beau soumettre cette pièce aux lumières de mes amis, et à la censure de tout le monde : les corrections que j'y ai pu faire, le jugement du roi et de la reine, qui l'ont vue, l'approbation des grands princes, le témoignage des gens de bien, tout cela n'a de rien servi. Ils n'en veulent point démordre ; et, tous les jours encore, ils font crier en public des zélés indiscrets, qui me disent des injures pieusement.

Le métier de comédien

— Que de luttes vous menez de front : contre ceux qui jalousent vos succès, contre ceux qui vous en veulent de les avoir mis en scène dans vos comédies... et on dit même que vous luttez contre le temps. Selon la rumeur, vous auriez écrit, répété et joué en cinq jours la comédie-ballet de *l'Amour médecin* pour répondre au vœu du roi. Comment avez-vous fait ?

— Mon Dieu, Monsieur, les rois n'aiment rien tant qu'une prompte obéissance et ne se plaisent point du tout à trouver des obstacles. Les choses ne sont bonnes que dans le temps qu'ils les souhaitent...

— Il est vrai que le roi apprécie fort vos comédies-ballets et qu'il a même dansé dans certaines d'entre elles. Mais vous connaissez maintenant la gloire et la richesse, vous pourriez quitter le métier de comédien et demeurer écrivain.

— Ah ! Monsieur, que me dites-vous là ? Il y a un honneur pour moi à ne pas quitter.

C'est la réponse superbe d'un homme qui a dû lutter toute sa vie. À quatorze ans, il avait déjà dû faire admettre à son père qu'il ne serait pas, comme lui, tapissier du roi, mais comédien. Après des études au fameux collège de Clermont, où les élèves ne pouvaient converser qu'en latin, et un diplôme de droit, le combat avait recommencé : les débuts ratés de l'*Illustre-Théâtre*, les dettes, le départ pour une lente conquête du succès en province.

Quelques étapes d'une vie

— Vous avez pourtant tout connu : la grande émotion de la première représentation devant le roi ; mais aussi des intermèdes comiques, comme celui de ce provincial venu de Limoges, qui s'est cru le modèle de Monsieur de Pourceaugnac : sur la scène où il était installé, il n'a pas arrêté de prendre à partie les acteurs et de subir les railleries du parterre...

Ce souvenir récent fait naître un sourire sur le visage de mon interlocuteur. Mais ne connaît-il pas la crainte qui habite les créateurs, la peur de manquer de matière ? La réponse ne se fait pas attendre :

— Plus de matière ? Croyez-vous que j'ai épuisé tout le ridicule des hommes ? Sans sortir de la Cour, il y a encore vingt caractères de gens où je n'ai point touché. J'aurai toujours plus de sujets que je n'en voudrai. »

Mais on vient le chercher, il lui faut rejoindre sa salle du Palais-Royal. Il va y retrouver sa femme, Armande, avec laquelle il est en pleine dispute. Ne vivent-ils pas séparés ? Ils se réconcilieront, mais cette union sera toujours une source de chagrins pour Molière. Il n'est évidemment pas question d'aborder un tel sujet avec lui et il faut donc prendre congé.

(Tous les propos tenus par Molière dans cet entretien sont extraits de textes qu'il a écrits.)

Armande Béjart.
Dessin du XXᵉ siècle d'après un document du XVIIᵉ siècle.
Musée de Meudon.

Une vie consacrée
au théâtre

1622 (**15 janvier**) : Baptême de Jean-Baptiste Poquelin à l'église Saint-Eustache, à Paris.

1633-1639 : Études au collège de Clermont, à Paris.

1642 : Licence de droit à Orléans.

1643 (**16 juin**) : Fondation avec Madeleine et Joseph Béjart de *l'Illustre-Théâtre*.

1645 : Molière est emprisonné au Châtelet pour dettes pendant quelques jours.

1645-1658 : Molière et sa troupe effectuent un long séjour en province. Durant cette période, Molière aurait composé quelques farces, qui n'ont pas été conservées. La troupe connaît enfin le succès et gagne bien sa vie.

1658 : Molière et sa troupe jouent devant le roi et la Cour. Molière bénéficie alors de la protection de Monsieur, frère du roi.

1659 : *les Précieuses ridicules*.

1660 : *Sganarelle ou le Cocu imaginaire*.

1661 : *l'École des maris*.

1662 : Molière épouse Armande Béjart, qui a vingt ans de moins que lui. Certains ont prétendu, sans jamais pouvoir le prouver, qu'elle était la fille de Molière.

1664 : Le roi décide d'être le parrain de leur premier-né. Première représentation du *Tartuffe ou l'Imposteur*, mais les adversaires de Molière obtiennent l'interdiction de représenter la pièce en public.

1665 : *Dom Juan*, immédiatement censuré.

La troupe de Molière devient « Troupe du roi ».

1666-1667 : Molière connaît de graves problèmes de santé qui l'obligent à rester de longues périodes sans jouer. Armande et lui décident de vivre séparément. *Le Misanthrope, le Médecin malgré lui.*

1668 : *George Dandin ou le Mari confondu, l'Avare.*

1669 : Autorisation de jouer *Tartuffe, Monsieur de Pourceaugnac.*

1670 : *le Bourgeois gentilhomme.*

1671 : *les Fourberies de Scapin.*

1672 : *les Femmes savantes.*

1673 : *le Malade imaginaire* ; mort de Molière, le 17 février.

Un physique à jouer la farce

Les ennemis de Molière ont souligné ses défauts physiques :

« Il vient, le nez au vent,
Les pieds en parenthèse et l'épaule en avant,
Sa perruque, qui suit le côté qu'il avance,
Plus pleine de laurier qu'un jambon de Mayence,
Ses mains sur les côtés d'un air un peu négligé,
Sa tête sur le dos comme un mulet chargé,
Ses yeux fort égarés ; puis, débitant ses rôles,
D'un hoquet éternel sépare ses paroles... »

Montfleury, *L'Impromptu de l'Hôtel de Condé,* 1664.

Un mime génial

Molière a su utiliser ses défauts pour faire rire les spectateurs. Il a fini par être reconnu comme le plus grand acteur comique de son époque : « Tout parlait en lui, et d'un pas, d'un sourire, d'un clin d'œil et d'un remuement de tête, il faisait plus concevoir de choses que le plus grand parleur n'aurait pu en dire en une heure. » (Donneau de Visé, 1638-1710).

Cette importance donnée au jeu corporel, Molière l'avait apprise auprès des « farceurs » dont il avait suivi les représentations sur le Pont-Neuf pendant sa jeunesse. Les comédiens-italiens l'ont aussi influencé.

Molière a également su exploiter le hoquet ou la toux dont il était affligé. Il chantait et dansait en se servant de ses défauts pour produire des effets grotesques.

Costume de scène

On sait que Molière avait une préférence pour le vert : les personnages ridicules de son théâtre sont souvent habillés de vert, son logis était décoré en vert. Mais il a aussi porté d'autres couleurs : il était en noir pour jouer Harpagon (*l'Avare*) ou Orgon (dans *le Tartuffe*) ; et le costume de George Dandin était couleur de musc (brun) et rouge.

Molière a longtemps porté des moustaches brunes, épaisses et tombantes, qu'il a rasées pour jouer le rôle d'Alceste dans *le Misanthrope*, à la grande déception du public !

Molière

création
de l'*Illustre-Théâtre*
1622   1643

La Fontaine (1621-1695)

Corneille (1606-1684)

règne personnel de Louis XIII
(1617-1643)

12

l'*Illustre-Théâtre*
devient
Troupe du Roi
1665   1673

Racine (1639-1699)

Charles Perrault (1628-1703)

Régence :
Anne d'Autriche   règne personnel de Louis XIV
et Mazarin   (1661-1715)
(1643-1661)

1661 : début de la construction du château de Versailles

13

L'intrigue de *George Dandin*

Au XVIIe siècle, les comédies ont souvent pour sujet un mariage qui rencontre des obstacles avant de se réaliser. Au contraire, *George Dandin* présente un couple désuni. À trois reprises, le mari tente de prouver aux parents de sa femme l'inconduite de leur fille. Chaque tentative rapproche George Dandin du but recherché, mais à chaque fois Angélique retourne la situation en sa faveur et son mari se trouve davantage humilié. Le déroulement de l'action éclaire le titre complet de la pièce : *George Dandin ou le Mari confondu* (accablé, anéanti).

Analyser l'action de la pièce, c'est donc découvrir les trois défaites de George Dandin.

Acte I : Dandin et l'honneur des nobles

George Dandin se plaint d'avoir épousé une femme noble : elle lui fait âprement sentir leur différence de condition. Et voilà que le valet Lubin, un incorrigible bavard, lui apprend qu'un certain Clitandre, autre noble, courtise sa femme Angélique. George Dandin se plaint de plus belle et décide d'en faire part à ses beaux-parents, les Sotenville (scènes 1 à 3).

Les Sotenville ont beaucoup de mal à admettre les plaintes de leur gendre. Il faut préciser que George Dandin se contente d'affirmer sans rien prouver, et que les Sotenville, ayant la plus haute opinion de leur

Riche paysan de Champagne.
Gravure de la fin du XVIIᵉ siècle.
Bibliothèque nationale, Paris.

naissance, n'imaginent pas que leur fille puisse manquer à ses devoirs d'épouse (scène 4).

Clitandre survient et rejette avec mépris les accusations portées contre lui. La parole d'un noble suffit pour ébranler les Sotenville. Angélique rejoint le groupe, comprend la situation, ajoute son démenti à celui de Clitandre. Elle n'a aucune peine à convaincre ses parents de son innocence, et George Dandin est contraint de présenter des excuses à Clitandre, le bonnet à la main (scènes 5 et 6).

Acte II : Dandin et la liberté d'Angélique

Si Lubin, qui fait la cour à Claudine, la servante d'Angélique, reconnaît qu'une femme a la liberté de rencontrer qui il lui plaît, il n'en est pas de même pour George Dandin. À son avis, le mariage « est une chaîne ». Angélique réagit vivement : pour elle, être mariée ne signifie pas « renoncer aux plaisirs du monde » (scènes 1 et 2).

Lubin ne peut décidément tenir sa langue. Ignorant toujours qui est George Dandin, il l'avertit d'un projet de rencontre entre sa femme et Clitandre (scènes 3 à 5).

Le mari renouvelle ses lamentations et annonce à ses beaux-parents qu'il va leur prouver l'inconduite de leur fille (scènes 6 et 7). Mais, une fois de plus, tout se termine mal pour George Dandin : Angélique l'a vu s'approcher, elle fait semblant de repousser Clitandre et de lui asséner des coups de bâton... que George Dandin reçoit ! Les Sotenville sont heureux de constater la vertu de leur fille (scène 8).

Acte III : Dandin humilié

La nuit est tombée, Clitandre et Lubin ont rendez-vous avec Angélique et Claudine. Mais l'obscurité provoque un quiproquo et Dandin se trouve mis au courant par Lubin d'un nouveau rendez-vous galant ! Il fait demander à ses beaux-parents de venir pour en être les témoins (scènes 1 à 5).

Angélique rentrant chez elle trouve la porte close de l'intérieur. Heureux de sa ruse, George Dandin triomphe en apparence. Il reste insensible aux supplications et aux promesses de sa femme. Mais une manœuvre habile d'Angélique renverse de nouveau la situation (scène 6).

C'est l'humiliation finale : George Dandin doit s'agenouiller et demander pardon à son épouse. Resté seul, il crie son amertume (scènes 7 et 8).

Les personnages : Dandin seul contre tous

George Dandin

George Dandin est un riche paysan. Sa fortune lui a permis d'épouser une jeune fille de la petite noblesse, Angélique de Sotenville. Il a pu ainsi transformer son nom en George Dandin de la Dandinière.

Mais George Dandin connaît désormais une vie remplie de problèmes. Il est absolument seul, si l'on excepte Colin, un valet à son service, personnage complètement effacé.

Angélique et ses alliés

En face de son mari, Angélique apparaît bien entourée. Ses parents, M. et Mme de Sotenville, méprisent leur gendre et sont toujours prêts à croire leur fille.

De plus, Angélique est bien secondée par Claudine, sa servante, qui l'aide à tromper George Dandin.

Angélique est courtisée par Clitandre, un jeune homme noble ; celui-ci a engagé Lubin, un paysan imbécile, pour le servir.

Une élégante.
Gravure de Sébastien Le Clerc le Vieux (1637-1714).
Bibliothèque nationale, Paris.

Molière, gravure de Beauvarlet (1731-1797),
d'après une peinture de S. Bourdon (1616-1671).
Bibliothèque nationale, Paris.

George Dandin

ou

le Mari confondu

comédie
représentée pour la première fois
le 18 juillet 1668

Personnages

George Dandin, *riche paysan, mari d'Angélique.*

Angélique, *femme de George Dandin et fille de Monsieur de Sotenville.*

Monsieur de Sotenville, *gentilhomme campagnard, père d'Angélique.*

Madame de Sotenville, *sa femme.*

Clitandre, *gentilhomme, amant*[1] *d'Angélique.*

Claudine, *suivante d'Angélique.*

Lubin, *paysan au service de Clitandre.*

Colin, *valet de George Dandin.*

La scène est devant la maison de George Dandin.

---

1. *Amant :* qui aime et est aimé de.

Acte premier

SCÈNE PREMIÈRE. GEORGE DANDIN.

Ah ! qu'une femme demoiselle[1] est une étrange affaire[2],
et que mon mariage est une leçon bien parlante à tous
les paysans[3] qui veulent s'élever au-dessus de leur
condition, et s'allier, comme j'ai fait, à la maison d'un
5 gentilhomme[4] ! La noblesse de soi[5] est bonne, c'est une
chose considérable assurément ; mais elle est
accompagnée de tant de mauvaises circonstances[6], qu'il
est très bon de ne s'y point frotter. Je suis devenu là-
dessus savant à mes dépens, et connais le style des
10 nobles lorsqu'ils nous font, nous autres, entrer dans
leur famille. L'alliance qu'ils font est petite avec nos
personnes : c'est notre bien seul qu'ils épousent, et
j'aurais bien mieux fait, tout riche que je suis, de
m'allier en bonne et franche paysannerie que de prendre
15 une femme qui se tient au-dessus de moi, s'offense[7] de
porter mon nom, et pense qu'avec tout mon bien je
n'ai pas assez acheté la qualité de son mari. George
Dandin, George Dandin, vous avez fait une sottise la
plus grande du monde. Ma maison m'est effroyable
20 maintenant, et je n'y rentre point sans y trouver quelque
chagrin[8].

---

1. *Demoiselle :* jeune fille ou femme noble.
2. *Étrange affaire :* terrible problème.
3. *Paysans :* propriétaires terriens.
4. *S'allier... gentilhomme :* se marier avec quelqu'un de famille noble.
5. *De soi :* en soi.
6. *Mauvaises circonstances :* détails pénibles.
7. *S'offense :* se vexe.
8. *Chagrin :* motif de colère.

SCÈNE 2. GEORGE DANDIN, LUBIN.

GEORGE DANDIN, *voyant sortir Lubin de chez lui.* Que diantre[1] ce drôle-là[2] vient-il faire chez moi ?

LUBIN, *à part, apercevant George Dandin.* Voilà un homme qui me regarde.

5 GEORGE DANDIN, *à part.* Il ne me connaît pas.

LUBIN. Il se doute de quelque chose.

GEORGE DANDIN. Ouais ! il a grand-peine à saluer.

LUBIN. J'ai peur qu'il n'aille dire qu'il m'a vu sortir de là-dedans.

10 GEORGE DANDIN. Bonjour.

LUBIN. Serviteur.

GEORGE DANDIN. Vous n'êtes pas d'ici, que je crois ?

LUBIN. Non, je n'y suis venu que pour voir la fête de demain.

15 GEORGE DANDIN. Hé ! dites-moi un peu, s'il vous plaît, vous venez de là-dedans ?

LUBIN. Chut !

GEORGE DANDIN. Comment ?

LUBIN. Paix !

20 GEORGE DANDIN. Quoi donc ?

LUBIN. Motus[3] ! Il ne faut pas dire que vous m'ayez[4] vu sortir de là.

GEORGE DANDIN. Pourquoi ?

---

1. *Diantre* : diable.
2. *Ce drôle-là* : ce coquin-là.
3. *Motus* : silence.
4. *Ayez* : avez (emploi du subjonctif pour l'indicatif). La grammaire et l'orthographe du XVIIe siècle n'étaient pas définitivement fixées.

LUBIN.   Mon Dieu ! parce.

25 GEORGE DANDIN.   Mais encore ?

LUBIN.   Doucement. J'ai peur qu'on ne nous écoute.

GEORGE DANDIN.   Point, point.

LUBIN.   C'est que je viens de parler à la maîtresse du
logis, de la part d'un certain monsieur qui lui fait les
30 doux yeux, et il ne faut pas qu'on sache cela. Entendez-
vous[1] ?

GEORGE DANDIN.   Oui.

LUBIN.   Voilà la raison. On m'a enchargé de prendre
garde que personne ne me vît, et je vous prie au moins
35 de ne pas dire que vous m'ayez vu.

GEORGE DANDIN.   Je n'ai garde[2].

LUBIN.   Je suis bien aise[3] de faire les choses secrètement
comme on m'a recommandé.

GEORGE DANDIN.   C'est bien fait.

40 LUBIN.   Le mari, à ce qu'ils disent, est un jaloux qui
ne veut pas qu'on fasse l'amour[4] à sa femme, et il
ferait le diable à quatre[5] si cela venait à ses oreilles :
vous comprenez bien ?

GEORGE DANDIN.   Fort bien.

45 LUBIN.   Il ne faut pas qu'il sache rien[6] de tout ceci.

GEORGE DANDIN.   Sans doute.

LUBIN.   On le veut tromper tout doucement : vous
entendez bien ?

GEORGE DANDIN.   Le mieux du monde.

---

1. *Entendez-vous :* comprenez-vous.
2. *Je n'ai garde :* je ferai très attention de ne pas le dire.
3. *Je suis bien aise :* je suis content, je me flatte.
4. *L'amour :* la cour.
5. *Ferait le diable à quatre :* entrerait dans une colère noire.
6. *Rien :* quoi que ce soit.

50 LUBIN. Si vous alliez dire que vous m'avez vu sortir
de chez lui, vous gâteriez[1] toute l'affaire : vous comprenez
bien ?

GEORGE DANDIN. Assurément. Hé ? comment
nommez-vous celui qui vous a envoyé là-dedans ?

55 LUBIN. C'est le seigneur de notre pays, Monsieur le
Vicomte de chose... Foin[2] ! je ne me souviens jamais
comment diantre ils baragouinent ce nom-là. Monsieur
Cli... Clitandre.

GEORGE DANDIN. Est-ce ce jeune courtisan[3] qui
60 demeure...

LUBIN. Oui : auprès de ces arbres.

GEORGE DANDIN, *à part*. C'est pour cela que depuis
peu ce damoiseau[4] poli s'est venu loger contre moi ;
j'avais bon nez sans doute, et son voisinage déjà m'avait
65 donné quelque soupçon.

LUBIN. Testigué[5] ! c'est le plus honnête[6] homme que
vous ayez jamais vu. Il m'a donné trois pièces d'or
pour aller dire seulement à la femme qu'il est amoureux
d'elle, et qu'il souhaite fort l'honneur de pouvoir lui
70 parler. Voyez s'il y a là une grande fatigue pour me
payer si bien, et ce qu'est au prix de cela une journée
de travail où je ne gagne que dix sols[7].

GEORGE DANDIN. Hé bien ! avez-vous fait votre
message ?

75 LUBIN. Oui, j'ai trouvé là-dedans une certaine Claudine,

---

1. *Gâteriez :* feriez échouer.
2. *Foin :* interjection qui marque l'agacement.
3. *Courtisan :* personne qui vit à la Cour.
4. *Damoiseau :* jeune homme élégant.
5. *Testigué (ou testiguiéne) :* juron paysan pour « tête de Dieu ».
6. *Honnête :* estimable.
7. *Sol :* pièce de monnaie qui valait 1/20 de livre.

qui tout du premier coup a compris ce que je voulais,
et qui m'a fait parler à sa maîtresse.

GEORGE DANDIN, *à part.* Ah ! coquine de servante !

LUBIN. Morguéne[1] ! cette Claudine est tout à fait jolie,
80 elle a gagné mon amitié, et il ne tiendra qu'à elle que
nous ne soyons mariés ensemble.

GEORGE DANDIN. Mais quelle réponse a fait la maîtresse
à ce Monsieur le courtisan ?

LUBIN. Elle m'a dit de lui dire... attendez, je ne sais
85 si je me souviendrai bien de tout cela... qu'elle lui est
tout à fait obligée[2] de l'affection qu'il a pour elle, et
qu'à cause de son mari, qui est fantasque[3], il garde
d'en rien faire paraître, et qu'il faudra songer à chercher
quelque invention pour se pouvoir entretenir[4] tous deux.

90 GEORGE DANDIN, *à part.* Ah ! pendarde de femme !

LUBIN. Testiguiéne ! cela sera drôle ; car le mari ne se
doutera point de la manigance, voilà ce qui est de bon ;
et il aura un pied de nez avec sa jalousie : est-ce pas[5] ?

GEORGE DANDIN. Cela est vrai.

95 LUBIN. Adieu. Bouche cousue au moins. Gardez bien
le secret, afin que le mari ne le sache pas.

GEORGE DANDIN. Oui, oui

LUBIN. Pour moi, je vais faire semblant de rien : je
suis un fin matois[6], et l'on ne dirait pas que j'y touche.

---

1. *Morguéne (ou morguienne)* : juron paysan pour « mort de Dieu ».
2. *Obligée* : reconnaissante.
3. *Fantasque* : un peu fou.
4. *Se pouvoir entretenir* : pouvoir se parler.
5. *Est-ce pas* : absence de négation fréquente dans la littérature du
XVIIe siècle.
6. *Fin matois* : personne rusée.

Claude Brasseur dans le rôle de George Dandin.
Adaptation cinématographique de Roger Planchon, 1988.

SCÈNE 3. GEORGE DANDIN, *seul.*

Hé bien ! George Dandin, vous voyez de quel air[1] votre
femme vous traite. Voilà ce que c'est d'avoir voulu
épouser une demoiselle : l'on vous accommode de toutes
pièces[2], sans que vous puissiez vous venger, et la
5 gentilhommerie vous tient les bras liés. L'égalité de
condition laisse du moins à l'honneur d'un mari liberté

---

1. *Air :* manière.
2. *Accommode de toutes pièces :* se moque de toutes les façons.

de ressentiment[1] ; et si c'était une paysanne, vous auriez maintenant toutes vos coudées franches à vous en faire la justice à bons coups de bâton. Mais vous avez voulu
10 tâter de la noblesse, et il vous ennuyait d'être maître chez vous. Ah ! j'enrage de tout mon cœur, et je me donnerais volontiers des soufflets[2]. Quoi ? écouter impudemment[3] l'amour d'un damoiseau, et y promettre en même temps de la correspondance ! Morbleu[4] ! je
15 ne veux point laisser passer une occasion de la sorte. Il me faut de ce pas aller faire mes plaintes au père et à la mère, et les rendre témoins, à telle fin que de raison[5], des sujets de chagrin et de ressentiment que leur fille me donne. Mais les voici l'un et l'autre fort
20 à propos.

---

1. *Liberté de ressentiment :* droit d'exprimer sa rancœur.
2. *Soufflets :* gifles.
3. *Impudemment :* sans pudeur.
4. *Morbleu :* juron pour « mort de Dieu ».
5. *À telle fin que de raison :* à toutes fins utiles.

Acte I Scènes 1, 2, 3

L'ACTION ET LES PERSONNAGES

1. Montrez en quoi la scène 1 est une scène d'exposition. Nous laisse-t-elle deviner ce qui va se passer ensuite ?

2. D'après cette première scène, quel genre de personnage est Dandin, selon vous ?

3. Comment définiriez-vous Lubin d'après ses paroles (sc. 2) ?

4. Pourquoi George Dandin tient-il à informer ses beaux-parents de ses mésaventures ?

LE COMIQUE

5. D'où provient le comique de situation (voir p. 141) dans la scène 2 ?

6. Imaginez les attitudes, les déplacements et les mimiques des personnages qui rendent cette scène 2 particulièrement drôle.

7. Relevez les expressions de Lubin qui créent un comique de mots (voir p. 141).

EXPRESSION ET COMPRÉHENSION

8. Relevez les sentiments exprimés par George Dandin dans la scène 1. Que pense-t-il du mariage ? Pensez-vous qu'il aime sa femme ?

9. La comédie débute par un monologue. Pourquoi George Dandin parle-t-il seul ?

10. Dans les scènes 1 et 3, George Dandin parle de lui tantôt à la première personne du singulier, tantôt à la deuxième personne du pluriel. Pourquoi ?

11. Expliquez cette phrase de Lubin dans la scène 2 : « Voyez s'il y a là une grande fatigue... je ne gagne que dix sols » (lignes 70 à 72).

SCÈNE 4. MONSIEUR ET MADAME
DE SOTENVILLE, GEORGE DANDIN.

MONSIEUR DE SOTENVILLE. Qu'est-ce, mon gendre ? vous me paraissez tout troublé.

GEORGE DANDIN. Aussi en ai-je du sujet[1], et...

MADAME DE SOTENVILLE. Mon Dieu ! notre gendre,
5 que vous avez peu de civilité[2] de ne pas saluer les gens quand vous les approchez !

GEORGE DANDIN. Ma foi ! ma belle-mère, c'est que j'ai d'autres choses en tête, et...

MADAME DE SOTENVILLE. Encore ! Est-il possible, notre
10 gendre, que vous sachiez si peu votre monde[3], et qu'il n'y ait pas moyen de vous instruire de la manière qu'il faut vivre parmi les personnes de qualité ?

GEORGE DANDIN. Comment ?

MADAME DE SOTENVILLE. Ne vous déferez-vous[4] jamais
15 avec moi de la familiarité de ce mot de « belle-mère », et ne sauriez-vous vous accoutumer à me dire « Madame » ?

GEORGE DANDIN. Parbleu[5] ! si vous m'appelez votre gendre, il me semble que je puis vous appeler ma belle-
20 mère.

MADAME DE SOTENVILLE. Il y a fort à dire, et les choses ne sont pas égales. Apprenez, s'il vous plaît, que ce n'est pas à vous à vous servir de ce mot-là avec une

---

1. *Du sujet :* des raisons.
2. *Civilité :* politesse.
3. *Sachiez si peu votre monde :* connaissiez si peu les usages de la bonne société.
4. *Vous déferez-vous :* renoncerez-vous.
5. *Parbleu :* juron pour « par Dieu ».

personne de ma condition ; que tout notre gendre que
25 vous soyez, il y a grande différence de vous à nous, et
que vous devez vous connaître[1].

MONSIEUR DE SOTENVILLE.   C'en est assez, mamour,
laissons cela.

MADAME DE SOTENVILLE.   Mon Dieu ! Monsieur de
30 Sotenville, vous avez des indulgences qui n'appartiennent
qu'à vous, et vous ne savez pas vous faire rendre par
les gens ce qui vous est dû.

MONSIEUR DE SOTENVILLE.   Corbleu[2] ! pardonnez-moi,
on ne peut point me faire de leçons là-dessus, et j'ai
35 su montrer en ma vie, par vingt actions de vigueur[3],
que je ne suis point homme à démordre jamais d'une
partie de mes prétentions[4]. Mais il suffit de lui avoir
donné un petit avertissement. Sachons un peu, mon
gendre, ce que vous avez dans l'esprit.

40 GEORGE DANDIN.   Puisqu'il faut donc parler
catégoriquement, je vous dirai, Monsieur de Sotenville,
que j'ai lieu de...

MONSIEUR DE SOTENVILLE.   Doucement, mon gendre.
Apprenez qu'il n'est pas respectueux d'appeler les gens
45 par leur nom, et qu'à ceux qui sont au-dessus de nous
il faut dire « Monsieur » tout court.

GEORGE DANDIN.   Hé bien ! Monsieur tout court, et
non plus Monsieur de Sotenville, j'ai à vous dire que
ma femme me donne...

50 MONSIEUR DE SOTENVILLE.   Tout beau[5] ! Apprenez aussi

---

1. *Vous connaître :* avoir conscience de votre condition (inférieure).
2. *Corbleu :* juron pour « corps de Dieu ».
3. *De vigueur :* vigoureuses, énergiques.
4. *Démordre ... prétentions :* renoncer à la moindre parcelle de mes
prétentions.
5. *Tout beau :* tout doux.

que vous ne devez pas dire « ma femme », quand vous parlez de notre fille.

GEORGE DANDIN. J'enrage. Comment ? ma femme n'est pas ma femme ?

55 MADAME DE SOTENVILLE. Oui, notre gendre, elle est votre femme ; mais il ne vous est pas permis de l'appeler ainsi, et c'est tout ce que vous pourriez faire, si vous aviez épousé une de vos pareilles.

GEORGE DANDIN, *bas, à part.* Ah ! George Dandin, où 60 t'es-tu fourré ? *(Haut.)* Eh ! de grâce, mettez, pour un moment, votre gentilhommerie à côté, et souffrez que je vous parle maintenant comme je pourrai. *(À part.)* Au diantre soit la tyrannie de toutes ces histoires-là[1] ! *(À M. de Sotenville.)* Je vous dis donc que je suis mal 65 satisfait de mon mariage.

MONSIEUR DE SOTENVILLE. Et la raison, mon gendre ?

MADAME DE SOTENVILLE. Quoi ? parler ainsi d'une chose dont vous avez tiré de si grands avantages ?

GEORGE DANDIN. Et quels avantages, Madame, puisque 70 Madame y a ? L'aventure n'a pas été mauvaise pour vous, car sans moi vos affaires, avec votre permission, étaient fort délabrées, et mon argent a servi à reboucher d'assez bons trous ; mais moi, de quoi y ai-je profité, je vous prie, que d'un allongement de nom, et au lieu 75 de George Dandin, d'avoir reçu par vous le titre de « Monsieur de la Dandinière » ?

MONSIEUR DE SOTENVILLE. Ne comptez-vous rien, mon gendre, l'avantage d'être allié à la maison de Sotenville ?

MADAME DE SOTENVILLE. Et à celle de la Prudoterie, 80 dont j'ai l'honneur d'être issue, maison où le ventre

---

1. *Au diantre ... histoires-là :* que ces exigences insupportables aillent au diable.

anoblit[1], et qui, par ce beau privilège, rendra vos enfants gentilshommes ?

GEORGE DANDIN.   Oui, voilà qui est bien, mes enfants seront gentilshommes ; mais je serai cocu, moi, si l'on
85 n'y met ordre.

MONSIEUR DE SOTENVILLE.   Que veut dire cela, mon gendre ?

GEORGE DANDIN.   Cela veut dire que votre fille ne vit pas comme il faut qu'une femme vive, et qu'elle fait
90 des choses qui sont contre l'honneur.

MADAME DE SOTENVILLE.   Tout beau ! prenez garde à ce que vous dites. Ma fille est d'une race trop pleine de vertu pour se porter[2] jamais à faire aucune chose dont l'honnêteté soit blessée ; et de la maison de la
95 Prudoterie il y a plus de trois cents ans qu'on n'a point remarqué qu'il y ait eu de femme, Dieu merci, qui ait fait parler d'elle.

MONSIEUR DE SOTENVILLE.   Corbleu ! dans la maison de Sotenville on n'a jamais vu de coquette, et la
100 bravoure n'y est pas plus héréditaire aux mâles que la chasteté aux femelles.

MADAME DE SOTENVILLE.   Nous avons eu une Jacqueline de la Prudoterie qui ne voulut jamais être la maîtresse d'un duc et pair[3], gouverneur de notre province.

105 MONSIEUR DE SOTENVILLE.   Il y a eu une Mathurine de Sotenville qui refusa vingt mille écus d'un favori du Roi, qui ne lui demandait seulement que la faveur de lui parler.

---

1. *Maison où le ventre anoblit :* famille où la noblesse est transmise par la mère.
2. *Se porter :* se laisser aller.
3. *Pair :* noble de haut rang.

GEORGE DANDIN.   Ho bien ! votre fille n'est pas si
110 difficile que cela, et elle s'est apprivoisée depuis qu'elle
est chez moi.

MONSIEUR DE SOTENVILLE.   Expliquez-vous, mon gendre.
Nous ne sommes point gens à la supporter[1] dans de
mauvaises actions, et nous serons les premiers, sa mère
115 et moi, à vous en faire la justice[2].

MADAME DE SOTENVILLE.   Nous n'entendons point
raillerie[3] sur les matières de l'honneur, et nous l'avons
élevée dans toute la sévérité possible.

GEORGE DANDIN.   Tout ce que je vous puis dire, c'est
120 qu'il y a ici un certain courtisan que vous avez vu, qui
est amoureux d'elle à ma barbe, et qui lui a fait faire
des protestations[4] d'amour qu'elle a très humainement
écoutées.

MADAME DE SOTENVILLE.   Jour de Dieu[5] ! je l'étranglerais
125 de mes propres mains, s'il fallait qu'elle forlignât[6] de
l'honnêteté de sa mère.

MONSIEUR DE SOTENVILLE.   Corbleu ! je lui passerais
mon épée au travers du corps, à elle et au galant, si
elle avait forfait à[7] son honneur.

130 GEORGE DANDIN.   Je vous ai dit ce qui se passe pour
vous faire mes plaintes, et je vous demande raison de[8]
cette affaire-là.

MONSIEUR DE SOTENVILLE.   Ne vous tourmentez point,

---

1. *Supporter :* soutenir.
2. *Vous en faire la justice :* vous donner raison.
3. *N'entendons point raillerie :* n'admettons pas la plaisanterie.
4. *Protestations :* déclarations.
5. *Jour de Dieu :* juron.
6. *Forlignât :* sortît de la ligne tracée par ses ancêtres.
7. *Forfait à :* trahi.
8. *Demande raison de :* réclame justice à propos de.

35

je vous la ferai de tous deux[1], et je suis homme pour
135 serrer le bouton[2] à qui que ce puisse être. Mais êtes-
vous bien sûr aussi de ce que vous nous dites ?

GEORGE DANDIN.   Très sûr.

MONSIEUR DE SOTENVILLE.   Prenez bien garde au moins ;
car, entre gentilshommes, ce sont des choses
140 chatouilleuses, et il n'est pas question d'aller faire ici
un pas de clerc[3].

GEORGE DANDIN.   Je ne vous ai rien dit, vous dis-je,
qui ne soit véritable.

MONSIEUR DE SOTENVILLE.   Mamour, allez-vous-en
145 parler à votre fille, tandis qu'avec mon gendre j'irai
parler à l'homme.

MADAME DE SOTENVILLE.   Se pourrait-il, mon fils,
qu'elle s'oubliât de la sorte, après le sage exemple que
vous savez vous-même que je lui ai donné ?

150 MONSIEUR DE SOTENVILLE.   Nous allons éclaircir
l'affaire. Suivez-moi, mon gendre, et ne vous mettez
pas en peine. Vous verrez de quel bois nous nous
chauffons lorsqu'on s'attaque à ceux qui nous peuvent
appartenir[4].

155 GEORGE DANDIN.   Le voici qui vient vers nous.

---

1. *Je ... tous deux :* je vous jugerai tous deux.
2. *Pour serrer le bouton :* à contraindre.
3. *Pas de clerc :* maladresse, faux pas.
4. *Ceux ... appartenir :* ceux qui sont des nôtres.

Acte I Scène 4

L'ACTION ET LES PERSONNAGES

1. Que pensent les Sotenville de leur gendre ? Citez le texte.

2. George Dandin parvient-il tout de suite à être écouté de ses beaux-parents ? Lorsqu'il se plaint de la conduite de sa femme, est-il cru ?

3. Relevez les expressions qui trahissent le ridicule et les prétentions des Sotenville.

4. Qu'apprend-on sur le mariage de Dandin dans cette scène ?

5. Dans la première scène, George Dandin apparaissait comme un personnage isolé. Cette solitude est-elle atténuée ou au contraire confirmée par la scène 4 ? Justifiez votre réponse.

LE COMIQUE

6. Pourquoi Molière a-t-il appelé ses personnages Sotenville et Dandin ?

7. Relevez les éléments de comique de mots et de comique de caractère (voir p. 141).

LE DIALOGUE

8. Qui mène réellement le dialogue dans cette scène ? Citez le texte.

9. Les Sotenville et Dandin entretiennent des rapports de force. Quels sont leurs arguments respectifs ?

10. Relevez des exemples où l'un des Sotenville répète ce que vient de dire l'autre. Notez les exemples où les propos du couple se complètent.

SCÈNE 5. MONSIEUR DE SOTENVILLE, CLITANDRE, GEORGE DANDIN.

MONSIEUR DE SOTENVILLE. Monsieur, suis-je connu de vous ?

CLITANDRE. Non pas, que je sache, Monsieur.

MONSIEUR DE SOTENVILLE. Je m'appelle le baron de
5 Sotenville.

CLITANDRE. Je m'en réjouis fort.

MONSIEUR DE SOTENVILLE. Mon nom est connu à la cour, et j'eus l'honneur dans ma jeunesse de me signaler des premiers à l'arrière-ban de Nancy[1].

10 CLITANDRE. À la bonne heure.

MONSIEUR DE SOTENVILLE. Monsieur, mon père Jean-Gilles de Sotenville eut la gloire d'assister en personne au grand siège de Montauban[2].

CLITANDRE. J'en suis ravi.

15 MONSIEUR DE SOTENVILLE. Et j'ai eu un aïeul, Bertrand de Sotenville, qui fut si considéré en son temps que d'avoir permission[3] de vendre tout son bien pour le voyage d'outre-mer[4].

CLITANDRE. Je le veux croire.

20 MONSIEUR DE SOTENVILLE. Il m'a été rapporté,

---

1. *Arrière-ban de Nancy :* en 1655, l'arrière-ban (petite noblesse) de Nancy fut convoqué pour soutenir la garnison du duc de Lorraine. Or, son action fut peu glorieuse.
2. *Grand siège de Montauban :* siège mené par Louis XIII en 1621 contre les calvinistes, qui fut un échec.
3. *Que d'avoir permission :* qu'il eut la permission.
4. *Voyage d'outre-mer :* allusion au duc de la Feuillade qui mena des gentilshommes en expédition contre les Turcs lors du siège de Candie par les Vénitiens, en 1668.

Homme de qualité en surtout.
Gravure de J. D. de Saint Jean, 1684.
Bibliothèque nationale, Paris.

39

Monsieur, que vous aimez et poursuivez une jeune personne, qui est ma fille, pour laquelle je m'intéresse[1], et pour[2] l'homme *(montrant George Dandin)* que vous voyez, qui a l'honneur d'être mon gendre.

25 CLITANDRE.   Qui ? moi ?

MONSIEUR DE SOTENVILLE.   Oui ; et je suis bien aise de vous parler, pour tirer de vous, s'il vous plaît, un éclaircissement de cette affaire.

CLITANDRE.   Voilà une étrange médisance ! Qui vous 30 a dit cela, Monsieur ?

MONSIEUR DE SOTENVILLE.   Quelqu'un qui croit le bien savoir.

CLITANDRE.   Ce quelqu'un-là en a menti. Je suis honnête homme. Me croyez-vous capable, Monsieur, d'une action 35 aussi lâche que celle-là ? Moi, aimer une jeune et belle personne qui a l'honneur d'être la fille de monsieur le baron de Sotenville ! je vous révère[3] trop pour cela, et suis trop votre serviteur. Quiconque vous l'a dit est un sot.

40 MONSIEUR DE SOTENVILLE.   Allons, mon gendre.

GEORGE DANDIN.   Quoi ?

CLITANDRE.   C'est un coquin et un maraud[4].

MONSIEUR DE SOTENVILLE, *à George Dandin*.   Répondez.

GEORGE DANDIN.   Répondez vous-même.

45 CLITANDRE.   Si je savais qui ce peut être, je lui donnerais, en votre présence, de l'épée dans le ventre.

1. *Pour ... intéresse :* que j'entoure de mes soins.
2. *Pour :* ainsi que.
3. *Révère :* respecte.
4. *Maraud :* canaille.

Monsieur de Sotenville, *à George Dandin*. Soutenez[1]
donc la chose.

George Dandin.   Elle est toute soutenue. Cela est vrai.

50 Clitandre.   Est-ce votre gendre, Monsieur, qui...

Monsieur de Sotenville.   Oui, c'est lui-même qui s'en
est plaint à moi.

Clitandre.   Certes, il peut remercier l'avantage qu'il a
de vous appartenir ; et, sans cela, je lui apprendrais bien
55 à tenir de pareils discours d'une personne comme moi.

SCÈNE 6. MONSIEUR ET MADAME
DE SOTENVILLE, ANGÉLIQUE, CLITANDRE,
GEORGE DANDIN, CLAUDINE.

Madame de Sotenville.   Pour ce qui est de cela, la
jalousie est une étrange chose ! J'amène ici ma fille
pour éclaircir l'affaire en présence de tout le monde.

Clitandre, *à Angélique*.   Est-ce donc vous, Madame,
5 qui avez dit à votre mari que je suis amoureux de
vous ?

Angélique.   Moi ? Et comment lui aurais-je dit ? Est-
ce que cela est ? Je voudrais bien le voir, vraiment, que
vous fussiez amoureux de moi ! Jouez-vous-y[2], je vous
10 en prie, vous trouverez à qui parler. C'est une chose
que je vous conseille de faire. Ayez recours, pour voir,
à tous les détours des amants : essayez un peu, par
plaisir, à[3] m'envoyer des ambassades[4], à m'écrire

1. *Soutenez :* défendez.
2. *Jouez-vous-y :* amusez-vous à être amoureux de moi.
3. *À :* de.
4. *Ambassades :* messagers.

secrètement de petits billets doux, à épier les moments
15 que mon mari n'y sera pas, ou le temps que je sortirai,
pour me parler de votre amour. Vous n'avez qu'à y
venir, je vous promets que vous serez reçu comme il
faut.

CLITANDRE.   Hé ! là, là, Madame, tout doucement. Il
20 n'est pas nécessaire de me faire tant de leçons, et de
vous tant scandaliser. Qui vous dit que je songe à vous
aimer ?

ANGÉLIQUE.   Que sais-je, moi, ce qu'on me vient conter
ici ?

25 CLITANDRE.   On dira ce que l'on voudra ; mais vous
savez si je vous ai parlé d'amour, lorsque je vous ai
rencontrée.

ANGÉLIQUE.   Vous n'aviez qu'à le faire, vous auriez été
bien venu.

30 CLITANDRE.   Je vous assure qu'avec moi vous n'avez
rien à craindre ; que je ne suis point homme à donner
du chagrin aux belles ; et que je vous respecte trop, et
vous et Messieurs vos parents, pour avoir la pensée
d'être amoureux de vous.

35 MADAME DE SOTENVILLE, *à George Dandin*.   Hé bien !
vous le voyez.

MONSIEUR DE SOTENVILLE.   Vous voilà satisfait, mon
gendre. Que dites-vous à cela ?

GEORGE DANDIN.   Je dis que ce sont là des contes à
40 dormir debout ; que je sais bien ce que je sais, et que
tantôt, puisqu'il faut parler, elle a reçu une ambassade
de sa part.

ANGÉLIQUE.   Moi, j'ai reçu une ambassade ?

CLITANDRE.   J'ai envoyé une ambassade ?

45 ANGÉLIQUE.   Claudine.

CLITANDRE, *à Claudine*.   Est-il vrai ?

CLAUDINE.   Par ma foi, voilà une étrange fausseté !

GEORGE DANDIN.   Taisez-vous, carogne[1] que vous êtes. Je sais de vos nouvelles, et c'est vous qui tantôt avez
50 introduit le courrier.

CLAUDINE.   Qui, moi ?

GEORGE DANDIN.   Oui, vous. Ne faites point tant la sucrée.

CLAUDINE.   Hélas ! que le monde aujourd'hui est rempli
55 de méchanceté, de m'aller soupçonner ainsi, moi qui suis l'innocence même !

GEORGE DANDIN.   Taisez-vous, bonne pièce[2]. Vous faites la sournoise ; mais je vous connais il y a longtemps, et vous êtes une dessalée[3].

60 CLAUDINE, *à Angélique*.   Madame, est-ce que... ?

GEORGE DANDIN.   Taisez-vous, vous dis-je, vous pourriez bien porter la folle enchère de tous les autres[4] ; et vous n'avez point de père gentilhomme.

ANGÉLIQUE.   C'est une imposture[5] si grande, et qui me
65 touche si fort au cœur, que je ne puis pas même avoir la force d'y répondre. Cela est bien horrible d'être accusée par un mari lorsqu'on ne lui fait rien qui ne soit à faire. Hélas ! si je suis blâmable de quelque chose, c'est d'en user trop bien avec lui.

70 CLAUDINE.   Assurément.

ANGÉLIQUE.   Tout mon malheur est de le trop considérer ; et plût au Ciel que je fusse capable de souffrir, comme il dit, les galanteries de quelqu'un ! je

---

1. *Carogne :* injure, pour « charogne ».
2. *Bonne pièce :* personne rusée à qui on ne peut pas faire confiance.
3. *Dessalée :* dégourdie (sens péjoratif).
4. *Porter... autres :* payer pour les autres.
5. *Imposture :* mensonge.

ne serais pas tant à plaindre. Adieu : je me retire, et je
75 ne puis plus endurer qu'on m'outrage de cette sorte.

MADAME DE SOTENVILLE, *à George Dandin*.   Allez, vous
ne méritez pas l'honnête femme qu'on vous a donnée.

CLAUDINE.   Par ma foi ! il mériterait qu'elle lui fît dire
vrai ; et si j'étais en sa place, je n'y marchanderais pas[1].
80 *(À Clitandre.)* Oui, Monsieur, vous devez, pour le punir,
faire l'amour à ma maîtresse. Poussez[2], c'est moi qui
vous le dis, ce sera fort bien employé ; et je m'offre à
vous y servir, puisqu'il m'en a déjà taxée. *(Claudine
sort.)*

85 MONSIEUR DE SOTENVILLE.   Vous méritez, mon gendre,
qu'on vous dise ces choses-là ; et votre procédé met
tout le monde contre vous.

MADAME DE SOTENVILLE.   Allez, songez à mieux traiter
une demoiselle bien née, et prenez garde désormais à
90 ne plus faire de pareilles bévues[3].

GEORGE DANDIN, *à part*.   J'enrage de bon cœur d'avoir
tort, lorsque j'ai raison.

CLITANDRE, *à M. de Sotenville*.   Monsieur, vous voyez
comme j'ai été faussement accusé : vous êtes homme
95 qui savez les maximes du point d'honneur[4], et je vous
demande raison de l'affront qui m'a été fait.

MONSIEUR DE SOTENVILLE.   Cela est juste, et c'est l'ordre
des procédés. Allons, mon gendre, faites[5] satisfaction à
Monsieur.

100 GEORGE DANDIN.   Comment satisfaction ?

---

1. *N'y marchanderais pas* : n'hésiterais pas.
2. *Poussez* : allez de l'avant.
3. *Bévues* : erreurs grossières.
4. *Maximes du point d'honneur* : code de l'honneur, règles de conduite
que l'on doit suivre quand on est noble.
5. *Faites* : donnez.

MONSIEUR DE SOTENVILLE.   Oui, cela se doit dans les règles pour l'avoir à tort accusé.

GEORGE DANDIN.   C'est une chose, moi, dont je ne demeure pas d'accord, de l'avoir à tort accusé, et je
105 sais bien ce que j'en pense.

MONSIEUR DE SOTENVILLE.   Il n'importe. Quelque pensée qui vous puisse rester, il a nié : c'est satisfaire les personnes[1], et l'on n'a nul droit de se plaindre de tout homme qui se dédit.

110 GEORGE DANDIN.   Si bien donc que si je le trouvais couché avec ma femme, il en serait quitte pour se dédire ?

MONSIEUR DE SOTENVILLE.   Point de raisonnement. Faites-lui les excuses que je vous dis.

115 GEORGE DANDIN.   Moi, je lui ferai encore des excuses après... ?

MONSIEUR DE SOTENVILLE.   Allons, vous dis-je. Il n'y a rien à balancer[2], et vous n'avez que faire d'avoir peur d'en trop faire[3], puisque c'est moi qui vous conduis.

120 GEORGE DANDIN.   Je ne saurais...

MONSIEUR DE SOTENVILLE.   Corbleu ! mon gendre, ne m'échauffez pas la bile : je me mettrais avec lui contre vous. Allons, laissez-vous gouverner par moi.

GEORGE DANDIN, *à part*.   Ah ! George Dandin !

125 MONSIEUR DE SOTENVILLE.   Votre bonnet à la main, le premier : Monsieur est gentilhomme, et vous ne l'ôtez pas.

GEORGE DANDIN, *à part, le bonnet à la main*.   J'enrage.

---

1. *Satisfaire les personnes :* réparer le mal qu'on a pu leur faire.
2. *Rien à balancer :* pas à hésiter.
3. *Vous... trop faire :* ne craignez pas d'en faire trop.

MONSIEUR DE SOTENVILLE. Répétez après moi :
130 « Monsieur. »

GEORGE DANDIN. « Monsieur. »

MONSIEUR DE SOTENVILLE. *(Il voit que son gendre fait difficulté de lui obéir.)* « Je vous demande pardon. » Ah !

GEORGE DANDIN. « Je vous demande pardon. »

135 MONSIEUR DE SOTENVILLE. « Des mauvaises pensées que j'ai eues de vous. »

GEORGE DANDIN. « Des mauvaises pensées que j'ai eues de vous. »

MONSIEUR DE SOTENVILLE. « C'est que je n'avais pas
140 l'honneur de vous connaître. »

GEORGE DANDIN. « C'est que je n'avais pas l'honneur de vous connaître. »

MONSIEUR DE SOTENVILLE. « Et je vous prie de croire. »

GEORGE DANDIN. « Et je vous prie de croire. »

145 MONSIEUR DE SOTENVILLE. « Que je suis votre serviteur[1]. »

GEORGE DANDIN. Voulez-vous que je sois serviteur d'un homme qui me veut faire cocu ?

MONSIEUR DE SOTENVILLE. *(Il le menace encore.)* Ah !

150 CLITANDRE. Il suffit, Monsieur.

MONSIEUR DE SOTENVILLE. Non : je veux qu'il achève, et que tout aille dans les formes. « Que je suis votre serviteur. »

GEORGE DANDIN. « Que je suis votre serviteur. »

155 CLITANDRE, *à George Dandin.* Monsieur, je suis le vôtre de tout mon cœur, et je ne songe plus à ce qui s'est

---

1. *Je suis votre serviteur :* formule de politesse marquant le respect.

passé. *(À M. de Sotenville.)* Pour vous, Monsieur, je vous donne le bonjour, et suis fâché du petit chagrin que vous avez eu.

160 MONSIEUR DE SOTENVILLE.　Je vous baise les mains ; et quand il vous plaira, je vous donnerai le divertissement de courre un lièvre[1].

CLITANDRE.　C'est trop de grâce que vous me faites. *(Clitandre sort.)*

165 MONSIEUR DE SOTENVILLE.　Voilà, mon gendre, comme il faut pousser[2] les choses. Adieu. Sachez que vous êtes entré dans une famille qui vous donnera de l'appui, et ne souffrira point que l'on vous fasse aucun affront.

SCÈNE 7.　GEORGE DANDIN, *seul.*

Ah ! que je... Vous l'avez voulu, vous l'avez voulu, George Dandin, vous l'avez voulu, cela vous sied[3] fort bien, et vous voilà ajusté[4] comme il faut ; vous avez justement ce que vous méritez. Allons, il s'agit seulement
5 de désabuser le père et la mère, et je pourrai trouver peut-être quelque moyen d'y réussir

---

1. *Donnerai... lièvre :* inviterai à la chasse au lièvre.
2. *Pousser :* régler.
3. *Sied :* convient.
4. *Ajusté :* traité.

47

Acte I Scènes 5, 6, 7

L'ACTION ET LES PERSONNAGES

1. Comment qualifieriez-vous les rapports de M. de Sotenville et de Clitandre dans la scène 5 ? M. de Sotenville essaie-t-il vraiment de défendre l'honneur de George Dandin ? Citez le texte.

2. Quels sont les arguments avancés par Clitandre pour se défendre ? Sont-ils convaincants aux yeux de M. de Sotenville ? de George Dandin ? Et vous, les trouvez-vous valables ?

3. Qualifiez le personnage d'Angélique d'après sa première apparition dans la scène 6.

4. Dégagez les trois mouvements de la scène 6 et donnez un titre à chacun d'eux.

5. Quelle est la situation des personnages à la fin de la scène 6 ?

LE COMIQUE

6. À quels moments a-t-on envie de rire dans la scène 5 ? De quelles formes de comique s'agit-il ?

7. Relevez et classez les éléments comiques de la scène 6 : comique de mots, de gestes, de situation, de caractère.

8. Qu'est-ce qui fait rire dans la dernière réplique de M. de Sotenville (sc. 6) ?

9. La scène 7 vous semble-t-elle drôle ? Justifiez votre réponse.

COMPRÉHENSION

10. Quel rôle joue la question posée par Clitandre à Angélique : « Est-ce donc vous, Madame,... » (l. 4 à 6, sc. 6) ?

11. Montrez que la réponse (l. 7 à 18, sc. 6) d'Angélique est à double sens.

12. Quels sont les personnages qui mènent tour à tour le dialogue de la scène 6 ?

13. George Dandin a-t-il une autorité quelconque sur les autres personnages ? À qui tente-t-il de s'en prendre ? Est-ce efficace ?

QUESTIONS SUR L'ENSEMBLE DE L'ACTE I

1. Comparez les scènes 1, 3 et 7 : qu'ont-elles de commun ? que nous apprennent-elles de George Dandin ?

2. La situation de George Dandin a-t-elle évolué de la scène 1 à la scène 7 ? dans quel sens ?

3. Relevez les informations données par Molière sur la société du xviie siècle.

4. Dans quelle scène apparaissent les Sotenville ? Quels traits de leur caractère retardent le développement de l'action ? Quel est l'effet produit sur le spectateur par cette suspension de l'action ?

5. Comment la situation se retourne-t-elle contre George Dandin ? Angélique est-elle seule à agir pour retourner la situation ? Qui intervient dans ce sens ?

6. Quelle est la première humiliation infligée à George Dandin ?

7. Comment Molière parvient-il à faire de sa pièce une comédie, sans qu'elle tourne au drame ?

Lubin (Yves Hugues) et Claudine (Sylvie Malissard).
Mise en scène d'André Bénichou. Théâtre populaire jurassien, 1988.

Acte II

SCÈNE PREMIÈRE. CLAUDINE, LUBIN.

CLAUDINE.   Oui, j'ai bien deviné qu'il fallait que cela vînt de toi, et que tu l'eusses dit à quelqu'un qui l'ait rapporté à notre maître.

LUBIN.   Par ma foi ! je n'en ai touché qu'un petit mot
5   en passant à un homme, afin qu'il ne dît point qu'il m'avait vu sortir, et il faut que les gens en ce pays-ci soient de grands babillards.

CLAUDINE.   Vraiment, ce Monsieur le Vicomte a bien choisi son monde, que de te prendre pour son
10   ambassadeur, et il s'est allé servir là d'un homme bien chanceux[1].

LUBIN.   Va, une autre fois je serai plus fin[2], et je prendrai mieux garde à moi.

CLAUDINE.   Oui, oui, il sera temps.

15   LUBIN.   Ne parlons plus de cela. Écoute.

CLAUDINE.   Que veux-tu que j'écoute ?

LUBIN.   Tourne un peu ton visage devers[3] moi.

CLAUDINE.   Hé bien, qu'est-ce ?

LUBIN.   Claudine.

20   CLAUDINE.   Quoi ?

LUBIN.   Hé ! là, ne sais-tu pas bien ce que je veux dire ?

CLAUDINE.   Non.

---

1. *Chanceux* : au XVIIe siècle, chanceux ou malchanceux.
2. *Fin* : rusé, malin.
3. *Devers* : vers.

LUBIN.   Morgué ! je t'aime.

25 CLAUDINE.   Tout de bon ?

LUBIN.   Oui, le diable m'emporte ! tu me peux croire,
puisque j'en jure.

CLAUDINE.   À la bonne heure.

LUBIN.   Je me sens tout tribouiller le cœur[1] quand je
30 te regarde.

CLAUDINE.   Je m'en réjouis.

LUBIN.   Comment est-ce que tu fais pour être si jolie ?

CLAUDINE.   Je fais comme font les autres.

LUBIN.   Vois-tu ? il ne faut point tant de beurre pour
35 faire un quarteron[2] : si tu veux, tu seras ma femme, je
serai ton mari, et nous serons tous deux mari et femme.

CLAUDINE.   Tu serais peut-être jaloux comme notre
maître.

LUBIN.   Point.

40 CLAUDINE.   Pour moi, je hais les maris soupçonneux,
et j'en veux un qui ne s'épouvante de rien, un si plein
de confiance, et si sûr de ma chasteté, qu'il me vît sans
inquiétude au milieu de trente hommes.

LUBIN.   Hé bien ! je serai tout comme cela.

45 CLAUDINE.   C'est la plus sotte chose du monde que
de se défier d'une femme, et de la tourmenter. La vérité
de l'affaire est qu'on n'y gagne rien de bon : cela nous
fait songer à mal, et ce sont souvent les maris qui,
avec leurs vacarmes, se font eux-mêmes ce qu'ils sont.

---

1. *Tout tribouiller le cœur :* le cœur tout agité.
2. *Il ne faut... quarteron :* il ne faut pas tant de beurre pour faire un
quart de livre (quarteron). Autrement dit, cela suffit pour qu'on
s'entende.

50 LUBIN.   Hé bien ! je te donnerai la liberté de faire tout ce qu'il te plaira.

CLAUDINE.   Voilà comme il faut faire pour n'être point trompé. Lorsqu'un mari se met à notre discrétion[1], nous ne prenons de liberté que ce qu'il nous en faut, et il
55 en est comme avec ceux qui nous ouvrent leur bourse et nous disent : « Prenez. » Nous en usons honnêtement, et nous nous contentons de la raison[2]. Mais ceux qui nous chicanent, nous nous efforçons de les tondre[3], et nous ne les épargnons point.

60 LUBIN.   Va, je serai de ceux qui ouvrent leur bourse, et tu n'as qu'à te marier avec moi.

CLAUDINE.   Hé bien, bien, nous verrons.

LUBIN.   Viens donc ici, Claudine.

CLAUDINE.   Que veux-tu ?

65 LUBIN.   Viens, te dis-je.

CLAUDINE.   Ah ! doucement : je n'aime pas les patineurs[4].

LUBIN.   Eh ! un petit brin d'amitié.

CLAUDINE.   Laisse-moi là, te dis-je : je n'entends pas
70 raillerie.

LUBIN.   Claudine.

CLAUDINE, *repoussant Lubin*.   Ahy !

LUBIN.   Ah ! que tu es rude à pauvres gens. Fi[5] ! que cola oot malhonnête de refuser[6] les personnes ! N'as-tu

---

1. *Se met à notre discrétion :* se soumet à ce que nous voulons.
2. *De la raison :* de ce qui est raisonnable.
3. *Les tondre :* leur prendre tout ce qu'ils ont.
4. *Patineurs :* hommes qui caressent.
5. *Fi :* interjection exprimant le mépris.
6. *Refuser :* repousser.

75 point de honte d'être belle, et de ne vouloir pas qu'on
te caresse ? Eh là !

CLAUDINE.   Je te donnerai[1] sur le nez.

LUBIN.   Oh ! la farouche, la sauvage. Fi, pouah ! la
vilaine, qui est cruelle.

80 CLAUDINE.   Tu t'émancipes trop.

LUBIN.   Qu'est-ce que cela te coûterait de me laisser
un peu faire ?

CLAUDINE.   Il faut que tu te donnes[2] patience.

LUBIN.   Un petit baiser seulement, en rabattant sur
85 notre mariage[3].

CLAUDINE.   Je suis votre servante[4].

LUBIN.   Claudine, je t'en prie, sur l'et-tant-moins[5].

CLAUDINE.   Eh ! que nenni[6]. J'y ai déjà été attrapée.
Adieu. Va-t'en, et dis à Monsieur le Vicomte que j'aurai
90 soin de rendre son billet.

LUBIN.   Adieu, beauté rude ânière.

CLAUDINE.   Le mot est amoureux.

LUBIN.   Adieu, rocher, caillou, pierre de taille, et tout
ce qu'il y a de plus dur au monde.

95 CLAUDINE, *seule.*   Je vais remettre aux mains de ma
maîtresse... Mais la voici avec son mari : éloignons-
nous, et attendons qu'elle soit seule.

---

1. *Je te donnerai :* je te donnerai des coups.
2. *Donnes :* prennes.
3. *En rabattant sur notre mariage :* à prendre sur le nombre de baisers
que nous nous donnerons une fois mariés.
4. *Je suis votre servante :* formule ironique pour exprimer un refus.
5. *L'et-tant-moins :* la quantité qui sera en moins sur celle à fournir.
6. *Nenni (ou nennin) :* non.

Acte II Scène 1

L'ACTION ET LES PERSONNAGES

1. Quel titre donneriez-vous à cette scène ?
2. Fait-elle progresser l'action ?
3. Quel rôle a dans la pièce cette scène de tentative de séduction ?
4. Faites un rapide portrait de Claudine.
5. Citez des répliques de Claudine qui montrent son ironie.

LE COMIQUE

6. Pourquoi cette scène est-elle drôle ?
7. Qu'est-ce qui fait rire ou sourire dans le langage de Lubin ?

EXPRESSION ET COMPRÉHENSION

8. Pourquoi Molière a-t-il placé dans la bouche de Claudine un discours sur la liberté des femmes ?

9. Après Dandin et Angélique, Lubin et Claudine forment le second jeune « couple » de la pièce. Montrez ce qu'ils ont de commun et de foncièrement différent.

10. À la fin de la scène, Lubin demande un baiser à Claudine « en rabattant sur notre mariage » (lignes 84-85). Que pensez-vous de la réponse de la jeune femme : « Que nenni : j'y ai déjà été attrapée » (ligne 88) ?

SCÈNE 2. GEORGE DANDIN, ANGÉLIQUE, CLITANDRE.

GEORGE DANDIN. Non, non, on ne m'abuse[1] pas avec tant de facilité, et je ne suis que trop certain que le rapport que l'on m'a fait est véritable. J'ai de meilleurs yeux qu'on ne pense, et votre galimatias[2] ne m'a point
5 tantôt ébloui[3].

CLITANDRE, *au fond du théâtre.* Ah ! la voilà ; mais le mari est avec elle.

GEORGE DANDIN, *sans voir Clitandre.* Au travers de toutes vos grimaces, j'ai vu la vérité de ce que l'on m'a
10 dit, et le peu de respect que vous avez pour le nœud qui nous joint. *(Clitandre et Angélique se saluent.)* Mon Dieu ! laissez là votre révérence, ce n'est pas de ces sortes de respect dont je vous parle, et vous n'avez que faire de vous moquer[4].

15 ANGÉLIQUE. Moi, me moquer ! En aucune façon.

GEORGE DANDIN. Je sais votre pensée *(Clitandre et Angélique se resaluent.)* et connais... *(Clitandre et Angélique se saluent encore.)* Encore ? Ah ! ne raillons pas davantage ! Je n'ignore pas qu'à cause de votre noblesse vous me
20 tenez fort au-dessous de vous, et le respect que je vous veux dire[5] ne regarde point ma personne : j'entends parler de celui que vous devez à des nœuds aussi vénérables que le sont ceux du mariage. *(Angélique fait*

---

1. *Abuse :* trompe.
2. *Galimatias :* discours incohérent, incompréhensible.
3. *Ébloui :* aveuglé, trompé.
4. *Vous n'avez ... moquer :* vous moquer du mariage n'a aucune importance pour vous.
5. *Que je vous veux dire :* dont je vous parle.

signe à Clitandre.) Il ne faut point lever les épaules, et
25 je ne dis point de sottises.

ANGÉLIQUE.   Qui songe à lever les épaules ?

GEORGE DANDIN.   Mon Dieu ! nous voyons clair. Je
vous dis encore une fois que le mariage est une chaîne
à laquelle on doit porter toute sorte de respect, et que
30 c'est fort mal fait à vous d'en user comme vous faites.
(Angélique fait signe de la tête à Clitandre.) Oui, oui, mal
fait à vous ; et vous n'avez que faire de hocher la tête,
et de me faire la grimace.

ANGÉLIQUE.   Moi ! Je ne sais ce que vous voulez dire.

35 GEORGE DANDIN.   Je le sais fort bien, moi ; et vos
mépris me sont connus. Si je ne suis pas né noble, au
moins suis-je d'une race où il n'y a point de reproche,
et la famille des Dandin...

CLITANDRE, *derrière Angélique, sans être aperçu de*
40 *Dandin.*   Un moment d'entretien.

GEORGE DANDIN, *sans voir Clitandre.*   Eh ?

ANGÉLIQUE.   Quoi ? Je ne dis mot.

GEORGE DANDIN, *tourne autour de sa femme, et Clitandre*
se retire en faisant une grande révérence à George Dandin.   Le
45 voilà qui vient rôder autour de vous.

ANGÉLIQUE.   Hé bien, est-ce ma faute ? Que voulez-
vous que j'y fasse ?

GEORGE DANDIN.   Je veux que vous y fassiez ce que
fait une femme qui ne veut plaire qu'à son mari. Quoi
50 qu'on en puisse dire, les galants n'obsèdent[1] jamais que
quand on le veut bien. Il y a un certain air doucereux
qui les attire, ainsi que le miel fait les mouches ; et les

---

1. *Obsèdent :* fréquentent assidûment.

honnêtes femmes ont des manières qui les savent chasser d'abord[1].

55 ANGÉLIQUE.   Moi, les chasser ? et par quelle raison ? Je ne me scandalise point qu'on me trouve bien faite, et cela me fait du plaisir.

GEORGE DANDIN.   Oui. Mais quel personnage voulez-vous que joue un mari pendant cette galanterie ?

60 ANGÉLIQUE.   Le personnage d'un honnête homme qui est bien aise de voir sa femme considérée.

GEORGE DANDIN.   Je suis votre valet. Ce n'est pas là mon compte, et les Dandin ne sont point accoutumés à cette mode-là.

65 ANGÉLIQUE.   Oh ! les Dandin s'y accoutumeront s'ils veulent. Car pour moi, je vous déclare que mon dessein n'est pas de renoncer au monde, et de m'enterrer toute vive dans un mari. Comment ? parce qu'un homme s'avise de nous épouser, il faut d'abord que toutes
70 choses soient finies pour nous, et que nous rompions tout commerce[2] avec les vivants ? C'est une chose merveilleuse que cette tyrannie de Messieurs les maris, et je les trouve bons de vouloir qu'on soit morte à tous les divertissements, et qu'on ne vive que pour eux.
75 Je me moque de cela, et ne veux point mourir si jeune.

GEORGE DANDIN.   C'est ainsi que vous satisfaites aux engagements de la foi[3] que vous m'avez donnée publiquement ?

ANGÉLIQUE.   Moi ? Je ne vous l'ai point donnée de
80 bon cœur, et vous me l'avez arrachée. M'avez-vous, avant le mariage, demandé mon consentement, et si je

---

1. *D'abord :* immédiatement.
2. *Commerce :* relation.
3. *Engagements de la foi :* promesses de fidélité.

DANDIN. [...] *Vos mépris me sont connus.*
George Dandin (Pierre Baton) et Angélique (Françoise Rigal).
Mise en scène de Guy Rétoré. Théâtre de l'Est parisien, 1985.

voulais bien de vous ? Vous n'avez consulté, pour cela, que mon père et ma mère ; ce sont eux proprement qui vous ont épousé, et c'est pourquoi vous ferez bien
85 de vous plaindre toujours à eux des torts que l'on pourra vous faire. Pour moi, qui ne vous ai point dit de vous marier avec moi, et que vous avez prise sans consulter mes sentiments, je prétends n'être point obligée à me soumettre en esclave à vos volontés ; et je veux
90 jouir, s'il vous plaît, de quelque nombre de beaux jours que m'offre la jeunesse, prendre les douces libertés que l'âge me permet, voir un peu le beau monde, et goûter le plaisir de m'ouïr[1] dire des douceurs. Préparez-vous-y, pour votre punition, et rendez grâces au Ciel de ce que
95 je ne suis pas capable de quelque chose de pis[2].

GEORGE DANDIN.   Oui ! c'est ainsi que vous le prenez. Je suis votre mari, et je vous dis que je n'entends pas cela[3].

ANGÉLIQUE.   Moi je suis votre femme, et je vous dis
100 que je l'entends.

GEORGE DANDIN, *à part*.   Il me prend des tentations d'accommoder tout son visage à la compote[4], et le mettre en état de ne plaire de sa vie aux diseurs de fleurettes. Ah ! allons, George Dandin ; je ne pourrais
105 me retenir, et il vaut mieux quitter la place[5].

---

1. *Ouïr :* entendre.
2. *Pis :* pire.
3. *Je n'entends pas cela :* je ne vois pas les choses ainsi.
4. *Accommoder ... compote :* réduire son visage en bouillie.
5. *Quitter la place :* s'en aller.

Acte II Scène 2

L'ACTION ET LES PERSONNAGES

1. Dégagez les deux parties de cette scène et donnez-leur un titre.

2. Quelle conception George Dandin a-t-il du mariage ? Quels types de reproches adresse-t-il à sa femme ?

3. Que signifient, d'après vous, les trois premières réponses d'Angélique à son mari (lignes 15, 26, 34) ?

4. Comparez la conception du mariage qu'a George Dandin à l'expérience qu'en a Angélique.

5. Quelle est la principale revendication d'Angélique ?

6. Dans ses deux grandes tirades (lignes 65 à 75 et 79 à 95), Angélique s'exprime avec sincérité. Cette sincérité suffit-elle à réconcilier le couple ? débloque-t-elle la situation ? Justifiez votre réponse en vous appuyant sur le texte.

LE COMIQUE

7. Quel est le quiproquo (voir p. 142) dans cette scène ?

8. Classez les éléments qui appartiennent au comique de mots, au comique de caractère et qui permettent à la pièce de rester une comédie sous l'aspect du drame.

SCÈNE 3. CLAUDINE, ANGÉLIQUE.

CLAUDINE. J'avais, Madame, impatience qu'il s'en allât, pour vous rendre[1] ce mot de la part que vous savez.

ANGÉLIQUE. Voyons.

CLAUDINE, *à part*. À ce que je puis remarquer, ce
5 qu'on lui dit ne lui déplaît pas trop.

ANGÉLIQUE. Ah ! Claudine, que ce billet s'explique d'une façon galante[2] ! Que dans tous leurs discours et dans toutes leurs actions les gens de cour ont un air agréable ! Et qu'est-ce que c'est auprès d'eux que nos
10 gens de province ? *(Elle lit bas.)*

CLAUDINE. Je crois qu'après les avoir vus, les Dandin ne vous plaisent guère.

ANGÉLIQUE. Demeure ici : je m'en vais faire la réponse.

CLAUDINE, *seule*. Je n'ai pas besoin, que je pense, de
15 lui recommander de la faire agréable. Mais voici...

SCÈNE 4. CLITANDRE, LUBIN, CLAUDINE.

CLAUDINE. Vraiment, Monsieur, vous avez pris là un habile messager.

CLITANDRE. Je n'ai pas osé envoyer de mes gens. Mais, ma pauvre Claudine, il faut que je te récompense
5 des bons offices[3] que je sais que tu m'as rendus. *(Il fouille dans sa poche.)*

---

1. *Rendre :* remettre.
2. *Galante :* élégante, raffinée.
3. *Bons offices :* services.

CLITANDRE (Philippe Roulier). *Dis-moi, as-tu rendu mon billet
à ta belle maîtresse ?* Claudine (Catherine Davenier).
Mise en scène de Guy Rétoré. Théâtre de l'Est parisien, 1985.

CLAUDINE.   Eh ! Monsieur, il n'est pas nécessaire. Non, Monsieur, vous n'avez que faire de vous donner cette peine-là ; et je vous rends service parce que vous le méritez, et que je me sens au cœur de l'inclination
10 pour vous.

CLITANDRE, *donnant de l'argent à Claudine.*   Je te suis obligé.

LUBIN, *à Claudine.*   Puisque nous serons mariés, donne-moi cela[1], que je le mette avec le mien.

15 CLAUDINE.   Je te le garde aussi bien que le baiser.

CLITANDRE, *à Claudine.*   Dis-moi, as-tu rendu mon billet à ta belle maîtresse ?

CLAUDINE.   Oui, elle est allée y répondre.

CLITANDRE.   Mais, Claudine, n'y a-t-il pas moyen que
20 je la puisse entretenir ?

CLAUDINE.   Oui : venez avec moi, je vous ferai parler à elle[2].

CLITANDRE.   Mais le trouvera-t-elle bon ? et n'y a-t-il rien à risquer ?

25 CLAUDINE.   Non, non : son mari n'est pas au logis ; et puis, ce n'est pas lui qu'elle a le plus à ménager ; c'est son père et sa mère ; et pourvu qu'ils soient prévenus[3], tout le reste n'est point à craindre.

CLITANDRE.   Je m'abandonne à ta conduite[4].

30 LUBIN, *seul.*   Testiguenne[5] ! que j'aurai là une habile femme ! Elle a de l'esprit comme quatre.

---

1. *Cela :* l'argent que Claudine vient de recevoir.
2. *Je vous... à elle :* je m'arrangerai pour que vous puissiez lui parler.
3. *Prévenus :* influencés favorablement.
4. *Je... conduite :* je m'en remets à toi.
5. *Testiguenne :* autre orthographe pour testigué (voir note 5 p. 26).

Acte II Scènes 3, 4

L'ACTION ET LES PERSONNAGES

1. Que s'est-il passé entre les scènes 2 et 3 ?

2. La scène 2 s'est achevée par un blocage de la situation. Montrez que la scène 3 relance l'action.

3. Quel personnage joue le rôle de meneur de jeu dans la scène 4 ?

4. Analysez le rôle de Lubin (sc. 4) : sert-il à faire avancer l'action ? à faire rire ? à mettre en évidence certains traits de Claudine ? Justifiez votre réponse.

EXPRESSION ET COMPRÉHENSION

5. Quelles qualités Angélique prête-t-elle aux gens de cour (sc. 3) ?

6. Commentez la réplique de Claudine (lignes 11-12, sc. 3) : « Je crois qu'après les avoir vus, les Dandin ne vous plaisent guère. »

7. La dernière réplique de Claudine (lignes 14-15, sc. 3) vous semble-t-elle surprenante ? Pourquoi ?

8. Que pensez-vous de cette phrase de Claudine au moment où elle reçoit de l'argent de Clitandre : « ... Je vous rends service parce que vous le méritez, et que je me sens au cœur de l'inclination pour vous » (lignes 8 à 10, sc. 4). D'après les répliques qui suivent, Claudine accepte-t-elle ou refuse-t-elle cette « récompense » ?

9. Expliquez cette réplique de Claudine (lignes 26 à 28, sc. 4) : « ... Ce n'est pas lui qu'elle a le plus à ménager ; c'est son père et sa mère ; et pourvu qu'ils soient prévenus, tout le reste n'est point à craindre. »

10. Où se situe le principal intérêt de la scène 4 : dans le comique ? dans l'évolution de l'action ? dans le caractère des personnages ? Justifiez votre réponse.

SCÈNE 5. GEORGE DANDIN, LUBIN.

GEORGE DANDIN, *bas, à part*. Voici mon homme de tantôt. Plût au Ciel qu'il pût se résoudre à vouloir rendre témoignage[1] au père et à la mère de ce qu'ils ne veulent point croire !

5 LUBIN. Ah ! vous voilà, Monsieur le babillard[2], à qui j'avais tant recommandé de ne point parler, et qui me l'aviez tant promis. Vous êtes donc un causeur, et vous allez redire ce que l'on vous dit en secret ?

GEORGE DANDIN. Moi ?

10 LUBIN. Oui. Vous avez été tout rapporter au mari, et vous êtes cause qu'il a fait du vacarme. Je suis bien aise de savoir que vous avez de la langue, et cela m'apprendra à ne vous plus rien dire.

GEORGE DANDIN. Écoute, mon ami.

15 LUBIN. Si vous n'aviez point babillé, je vous aurais conté ce qui se passe à cette heure ; mais pour votre punition vous ne saurez rien du tout.

GEORGE DANDIN. Comment ? qu'est-ce qui se passe ?

LUBIN. Rien, rien. Voilà ce que c'est d'avoir causé :
20 vous n'en tâterez plus[3], et je vous laisse sur la bonne bouche[4].

GEORGE DANDIN. Arrête un peu.

LUBIN. Point.

GEORGE DANDIN. Je ne te veux dire qu'un mot.

---

1. *Plût... témoignage :* que le Ciel puisse le décider à témoigner.
2. *Babillard :* bavard.
3. *N'en tâterez plus :* n'obtiendrez plus aucun renseignement.
4. *Sur la bonne bouche :* sur votre faim.

25 LUBIN.   Nennin, nennin. Vous avez envie de me tirer les vers du nez.

GEORGE DANDIN.   Non, ce n'est pas cela.

LUBIN.   Eh ! quelque sot... Je vous vois venir[1].

GEORGE DANDIN.   C'est autre chose. Écoute.

30 LUBIN.   Point d'affaire. Vous voudriez que je vous dise que Monsieur le Vicomte vient de donner de l'argent à Claudine, et qu'elle l'a mené chez sa maîtresse. Mais je ne suis pas si bête.

GEORGE DANDIN.   De grâce.

35 LUBIN.   Non.

GEORGE DANDIN.   Je te donnerai...

LUBIN.   Tarare[2] !

SCÈNE 6. GEORGE DANDIN, *seul.*

Je n'ai pu me servir avec cet innocent de la pensée que j'avais[3]. Mais le nouvel avis qui lui est échappé ferait la même chose[4], et si le galant est chez moi, ce serait pour avoir[5] raison aux yeux du père et de la mère, et
5 les convaincre pleinement de l'effronterie de leur fille. Le mal de tout ceci, c'est que je ne sais comment faire pour profiter d'un tel avis. Si je rentre chez moi, je ferai évader le drôle, et quelque chose que je puisse

---

1. *Quelque... venir :* une dupe se serait laissé prendre, mais je vous vois venir.
2. *Tarare :* interjection qui marque le refus.
3. *De la pensée que j'avais :* comme je l'imaginais.
4. *Mais le nouvel avis... même chose :* mais la nouvelle qui lui a échappé aura le même effet.
5. *Ce serait pour avoir :* cela me donnera.

voir moi-même de mon déshonneur, je n'en serai point
10 cru à mon serment, et l'on me dira que je rêve. Si,
d'autre part, je vais quérir beau-père et belle-mère sans
être sûr de trouver chez moi le galant, ce sera la même
chose, et je retomberai dans l'inconvénient de tantôt.
Pourrais-je point m'éclaircir doucement[1] s'il y est encore ?
15 *(Après avoir été regarder par le trou de la serrure.)* Ah Ciel !
il n'en faut plus douter, et je viens de l'apercevoir par
le trou de la porte. Le sort me donne ici de quoi
confondre ma partie[2], et pour achever l'aventure, il fait
venir à point nommé les juges dont j'avais besoin.

---

1. *M'éclaircir doucement :* vérifier discrètement.
2. *Confondre ma partie :* triompher de mes adversaires.

Acte II Scènes 5, 6

L'ACTION ET LES PERSONNAGES

1. Peut-on rapprocher la scène 5 d'une scène de l'acte I ? Laquelle ? Pourquoi ?

2. Quels sont les renseignements recueillis par George Dandin (sc. 5) ?

3. Les maladresses de Lubin (sc. 5) sont-elles indispensables au développement de l'action ? Justifiez votre réponse.

4. Quel est le projet de George Dandin dans la scène 6 ? Relevez ses hésitations. À votre avis, qu'est-ce qui l'empêche de se plaindre ?

5. Dégagez les différents moments du monologue de George Dandin (sc. 6) et donnez-leur un titre.

LE COMIQUE

6. Pourquoi peut-on parler de comique de farce (voir p. 141) dans la scène 5 ? Quelles sont les autres formes de comique dans cette scène ?

7. Quel est le meneur de la scène 5 ? Pourquoi en résulte-t-il un effet amusant ?

EXPRESSION ET COMPRÉHENSION

8. Quel est le rôle du quiproquo dans la scène 5 ?

0. Expliquez cette phrase de George Dandin (lignes 17 à 19 sc. 6) : « Le sort me donne ... les juges dont j'avais besoin. »

10. À quels moments avons-nous déjà trouvé des monologues dans la pièce ? Par qui ces monologues ont-ils été prononcés ? Quel(s) rôle(s) ont ces monologues ?

SCÈNE 7. MONSIEUR ET MADAME DE SOTENVILLE, GEORGE DANDIN.

GEORGE DANDIN. Enfin vous ne m'avez pas voulu croire tantôt, et votre fille l'a emporté sur moi ; mais j'ai en main de quoi vous faire voir comme elle m'accommode et, Dieu merci ! mon déshonneur est si
5 clair maintenant que vous n'en pourrez plus douter.

MONSIEUR DE SOTENVILLE. Comment, mon gendre, vous en êtes encore là-dessus ?

GEORGE DANDIN. Oui, j'y suis, et jamais je n'eus tant de sujet d'y être.

10 MADAME DE SOTENVILLE. Vous nous venez encore étourdir la tête ?

GEORGE DANDIN. Oui, Madame, et l'on fait bien pis à la mienne.

MONSIEUR DE SOTENVILLE. Ne vous lassez-vous point
15 de vous rendre importun[1] ?

GEORGE DANDIN. Non ; mais je me lasse fort d'être pris pour dupe.

MADAME DE SOTENVILLE. Ne voulez-vous point vous défaire de vos pensées extravagantes ?

20 GEORGE DANDIN. Non, Madame ; mais je voudrais bien me défaire d'une femme qui me déshonore.

MADAME DE SOTENVILLE. Jour de Dieu ! notre gendre, apprenez à parler.

MONSIEUR DE SOTENVILLE. Corbleu ! cherchez des
25 termes moins offensants que ceux-là.

---

1. *Importun :* personne qui dérange.

GEORGE DANDIN.   Marchand qui perd ne peut rire.

MADAME DE SOTENVILLE.   Souvenez-vous que vous avez épousé une demoiselle.

GEORGE DANDIN.   Je m'en souviens assez, et ne m'en
30 souviendrai que trop.

MONSIEUR DE SOTENVILLE.   Si vous vous en souvenez, songez donc à parler d'elle avec plus de respect.

GEORGE DANDIN.   Mais que ne songe-t-elle plutôt à me traiter plus honnêtement ? Quoi ? parce qu'elle est
35 demoiselle, il faut qu'elle ait la liberté de me faire ce qui lui plaît, sans que j'ose souffler[1] ?

MONSIEUR DE SOTENVILLE.   Qu'avez-vous donc, et que pouvez-vous dire ? N'avez-vous pas vu ce matin qu'elle s'est défendue de connaître celui dont vous m'étiez
40 venu parler ?

GEORGE DANDIN.   Oui. Mais vous, que pourrez-vous dire si je vous fais voir maintenant que le galant est avec elle ?

MADAME DE SOTENVILLE.   Avec elle ?

45 GEORGE DANDIN.   Oui, avec elle, et dans ma maison ?

MONSIEUR DE SOTENVILLE.   Dans votre maison ?

GEORGE DANDIN.   Oui, dans ma propre maison.

MADAME DE SOTENVILLE.   Si cela est, nous serons pour vous contre elle.

50 MONSIEUR DE SOTENVILLE.   Oui . l'honneur de notre famille nous est plus cher que toute chose ; et si vous dites vrai, nous la renoncerons pour notre sang[2], et l'abandonnerons à votre colère.

---

1. *Souffler* : protester.
2. *Nous la renoncerons pour notre sang* : nous ne la reconnaîtrons plus comme faisant partie de notre famille.

GEORGE DANDIN. Vous n'avez qu'à me suivre.

55 MADAME DE SOTENVILLE. Gardez de[1] vous tromper.

MONSIEUR DE SOTENVILLE. N'allez pas faire comme tantôt.

GEORGE DANDIN. Mon Dieu ! vous allez voir. Tenez, ai-je menti ?

---

1. *Gardez de :* prenez garde à ne pas.

Acte II Scène 7

L'ACTION ET LES PERSONNAGES

1. Peut-on rapprocher cette scène d'une autre scène de l'acte I ?
Laquelle ? Pourquoi ? La réaction des Sotenville a-t-elle changé
depuis ?

2. George Dandin dit ici dans quel but il veut dévoiler l'infidélité
de sa femme. De quelle réplique s'agit-il ? Quel est ce but ?

LE COMIQUE

3. Relevez les éléments de comique de caractère dans cette
scène.

4. Pourquoi les jurons ont-ils ici un effet comique ?

5. Relevez les répétitions de mots qui donnent un caractère
comique au dialogue.

LE DIALOGUE

6. En désignant chaque personnage par une lettre (A, B, C),
relevez l'ordre dans lequel chacun prend la parole dans cette
scène. Repérez en particulier les passages où M. et Mme de
Sotenville parlent l'un à la suite de l'autre. Dans ce cas, chacun
des deux personnages répète-t-il ce que l'autre vient de dire ?
le contredit-il ? le complète-t-il ?

7. Imaginez les jeux de scène appropriés aux différents moments
de ce dialogue.

SCÈNE 8. ANGÉLIQUE, CLITANDRE, CLAUDINE, MONSIEUR ET MADAME DE SOTENVILLE, GEORGE DANDIN.

ANGÉLIQUE, *à Clitandre*. Adieu. J'ai peur qu'on vous surprenne ici, et j'ai quelques mesures à garder[1].

CLITANDRE. Promettez-moi donc, Madame, que je pourrai vous parler cette nuit.

5 ANGÉLIQUE. J'y ferai mes efforts.

GEORGE DANDIN, *à M. et Mme de Sotenville*. Approchons doucement par-derrière, et tâchons de n'être point vus.

CLAUDINE. Ah ! Madame, tout est perdu : voilà votre
10 père et votre mère, accompagnés de votre mari.

CLITANDRE, *à part*. Ah Ciel !

ANGÉLIQUE, *bas à Clitandre et à Claudine*. Ne faites pas semblant de rien, et me laissez faire tous deux[2]. *(Haut à Clitandre.)* Quoi ? vous osez en user de la sorte, après
15 l'affaire de tantôt, et c'est ainsi que vous dissimulez vos sentiments ? On me vient rapporter que vous avez de l'amour pour moi, et que vous faites des desseins[3] de me solliciter ; j'en témoigne mon dépit[4], et m'explique à vous clairement en présence de tout le monde ; vous
20 niez hautement la chose, et me donnez parole de n'avoir aucune pensée de m'offenser ; et cependant, le même jour, vous prenez la hardiesse de venir chez moi me rendre visite, de me dire que vous m'aimez, et de me

---

1. *Mesures à garder* : précautions à prendre.
2. *Ne faites... tous deux* : faites comme si de rien n'était et, tous les deux, laissez-moi agir.
3. *Faites des desseins* : projetez, envisagez.
4. *Dépit* : colère.

faire cent sots contes pour me persuader de répondre
25 à vos extravagances : comme si j'étais femme à violer
la foi que j'ai donnée à un mari, et m'éloigner jamais
de la vertu que mes parents m'ont enseignée. Si mon
père savait cela, il vous apprendrait bien à tenter de
ces entreprises. Mais une honnête femme n'aime point
30 les éclats. *(Après avoir fait signe à Claudine d'apporter un*
bâton.) Je n'ai garde de lui en rien dire, et je veux vous
montrer que, toute femme que je suis, j'ai assez de
courage pour me venger moi-même des offenses que
l'on me fait. L'action que vous avez faite n'est pas d'un
35 gentilhomme, et ce n'est pas en gentilhomme aussi que
je veux vous traiter. *(Elle prend un bâton et bat son mari,*
au lieu de Clitandre, qui se met entre deux.)
CLITANDRE, *criant comme s'il avait été frappé.* Ah ! ah !
ah ! ah ! ah ! doucement. *(Puis il s'enfuit.)*
40 CLAUDINE. Fort, Madame, frappez comme il faut.
ANGÉLIQUE, *faisant semblant de parler à Clitandre.* S'il
vous demeure quelque chose sur le cœur, je suis pour
vous répondre.
CLAUDINE. Apprenez à qui vous vous jouez[1].
45 ANGÉLIQUE, *faisant l'étonnée.* Ah mon père, vous êtes
là !
MONSIEUR DE SOTENVILLE. Oui, ma fille, et je vois
qu'en sagesse et en courage[2] tu te montres un digne
rejeton de la maison de Sotenville. Viens çà, approche-
50 toi que je t'embrasse.
MADAME DE SOTENVILLE. Embrasse-moi aussi, ma fille.
Las ! je pleure de joie, et reconnais mon sang aux
choses que tu viens de faire.
MONSIEUR DE SOTENVILLE. Mon gendre, que vous devez

---

1. *Vous vous jouez :* vous vous attaquez.
2. *Courage :* qualités de cœur.

55 être ravi, et que cette aventure est pour vous pleine de douceurs ! Vous aviez un juste sujet de vous alarmer ; mais vos soupçons se trouvent dissipés le plus avantageusement du monde.

MADAME DE SOTENVILLE.   Sans doute, notre gendre, et
60 vous devez maintenant être le plus content des hommes.

CLAUDINE.   Assurément. Voilà une femme, celle-là. Vous êtes trop heureux de l'avoir, et vous devriez baiser les pas où elle passe.

GEORGE DANDIN, *à part.*   Euh ! traîtresse !

65 MONSIEUR DE SOTENVILLE.   Qu'est-ce, mon gendre ? Que ne remerciez-vous un peu votre femme de l'amitié que vous voyez qu'elle montre pour vous ?

ANGÉLIQUE.   Non, non, mon père, il n'est pas nécessaire. Il ne m'a aucune obligation de ce qu'il vient de voir,

DANDIN. *Approchons doucement par-derrière et tâchons de n'être point vus.*
George Dandin (Claude Brasseur) et Angélique (Zabou).
Adaptation cinématographique de Roger Planchon, 1988.

70 et tout ce que j'en fais n'est que pour l'amour de moi-
même.

MONSIEUR DE SOTENVILLE.   Où allez-vous, ma fille ?

ANGÉLIQUE.   Je me retire, mon père, pour ne me voir
point obligée à recevoir ses compliments.

75 CLAUDINE, *à George Dandin.*   Elle a raison d'être en
colère. C'est une femme qui mérite d'être adorée, et
vous ne la traitez pas comme vous devriez.

GEORGE DANDIN, *à part.*   Scélérate !

MONSIEUR DE SOTENVILLE.   C'est un petit ressentiment
80 de l'affaire de tantôt, et cela se passera avec un peu
de caresse que vous lui ferez. Adieu, mon gendre, vous
voilà en état de ne plus vous inquiéter. Allez-vous-en
faire la paix ensemble, et tâchez de l'apaiser par des
excuses de votre emportement.

85 MADAME DE SOTENVILLE.   Vous devez considérer que
c'est une jeune fille élevée à la vertu[1], et qui n'est point
accoutumée à se voir soupçonnée d'aucune vilaine
action. Adieu. Je suis ravie de voir vos désordres finis
et des transports[2] de joie que vous doit donner sa
90 conduite.

GEORGE DANDIN, *seul.*   Je ne dis mot, car je ne gagnerais
rien à parler, et jamais il ne s'est rien vu d'égal à ma
disgrâce. Oui, j'admire mon malheur, et la subtile adresse
de ma carogne de femme pour se donner toujours
95 raison, et me faire avoir tort. Est-il possible que toujours
j'aurai du dessous avec elle, que les apparences toujours
tourneront contre moi, et que je ne parviendrai point
à convaincre mon effrontée ? Ô Ciel, seconde mes
desseins, et m'accorde la grâce de faire voir aux gens
100 que l'on me déshonore.

1. *À la vertu :* vertueusement.
2. *Transports :* accès.

Acte II Scène 8

L'ACTION ET LES PERSONNAGES

1. Comment Angélique retourne-t-elle la situation en sa faveur ? Relevez les arguments qu'elle utilise pour, soi-disant, repousser Clitandre : ces arguments sont-ils naturels et spontanés de la part d'Angélique ou bien sont-ils empruntés à George Dandin et aux Sotenville ? Citez le texte.
2. Pourquoi, à votre avis, Molière a-t-il appelé Angélique ainsi ?
3. Quel rôle joue Claudine dans cette scène ? Un metteur en scène contemporain, Roger Planchon, a déclaré que « pour trouver l'énergie des commentaires cruels auxquels se livre Claudine lors des humiliations de Dandin, toutes les comédiennes sont obligées de faire appel à un sentiment de vengeance, de rancune personnelle ». D'après vous, qu'est-ce qui peut motiver cette cruauté ?
4. Expliquez le silence de George Dandin durant cette scène.
5. Cherchez le sens du mot « vraisemblable » dans le dictionnaire. Peut-on dire que le retournement de situation dans cette scène est vraisemblable ? Pourquoi ?

LE COMIQUE

6. Relevez les éléments de comique de farce.
7. Comment joueriez-vous la scène de la bastonnade ? Imaginez les jeux de scène, les mimiques des personnages.

QUESTION SUR L'ENSEMBLE DE L'ACTE II

1. Essayez de dégager les différentes étapes par lesquelles passe l'action au cours de cet acte et donnez un titre à chacune de ces parties (ex. : la révélation de Lubin).
2. Montrez que l'action se développe au cours de l'acte II de la même manière que dans l'acte I.
3. Peut-on dire que la situation de George Dandin est, à la fin de cet acte, la même qu'à la fin de l'acte I ? Cette situation s'est-elle aggravée ? Quels éléments permettent de le savoir ?
4. Analysez le rôle d'Angélique dans le retournement de la situation. Quels sont les différences par rapport à l'acte I ?
5. Répertoriez les éléments de l'action qui relèvent de la farce.

Acte III

SCÈNE PREMIÈRE. CLITANDRE, LUBIN.

CLITANDRE.   La nuit est avancée, et j'ai peur qu'il ne soit trop tard. Je ne vois point à[1] me conduire. Lubin !

LUBIN.   Monsieur ?

CLITANDRE.   Est-ce par ici ?

5 LUBIN.   Je pense que oui. Morgué ! voilà une sotte nuit, d'être si noire que cela.

CLITANDRE.   Elle a tort assurément ; mais si d'un côté elle nous empêche de voir, elle empêche de l'autre que nous ne soyons vus.

10 LUBIN.   Vous avez raison, elle n'a pas tant de tort. Je voudrais bien savoir, Monsieur, vous qui êtes savant, pourquoi il ne fait point jour la nuit.

CLITANDRE.   C'est une grande question, et qui est difficile. Tu es curieux, Lubin.

15 LUBIN.   Oui. Si j'avais étudié, j'aurais été songer à des choses où[2] on n'a jamais songé.

CLITANDRE.   Je le crois. Tu as la mine d'avoir l'esprit subtil et pénétrant.

LUBIN.   Cela est vrai. Tenez, j'explique du latin, quoique 20 jamais je ne l'aie appris, et voyant l'autre jour écrit sur une grande porte *collegium*, je devinai que cela voulait dire collège.

CLITANDRE.   Cela est admirable ! Tu sais donc lire, Lubin ?

---

1. *Point à :* pas assez pour.
2. *Où :* auxquelles.

25 LUBIN.   Oui, je sais lire la lettre moulée[1], mais je n'ai jamais su apprendre à lire l'écriture.

CLITANDRE.   Nous voici contre la maison. *(Après avoir frappé dans ses mains.)* C'est le signal que m'a donné Claudine.

30 LUBIN.   Par ma foi ! c'est une fille qui vaut de l'argent, et je l'aime de tout mon cœur.

CLITANDRE.   Aussi t'ai-je amené avec moi pour l'entretenir.

LUBIN.   Monsieur, je vous suis...

35 CLITANDRE.   Chut ! J'entends quelque bruit.

SCÈNE 2.   ANGÉLIQUE, CLAUDINE, CLITANDRE, LUBIN.

ANGÉLIQUE.   Claudine.

CLAUDINE.   Hé bien !

ANGÉLIQUE.   Laisse la porte entrouverte.

CLAUDINE.   Voilà qui est fait.

(Scène de nuit. Les acteurs se cherchent les uns les autres, dans l'obscurité.)

5 CLITANDRE, *à Lubin.*   Ce sont elles. St[2].

ANGÉLIQUE.   St.

LUBIN.   St.

CLAUDINE.   St.

---

1. *Moulée :* imprimée.
2. *St :* interjection pour attirer l'attention. Aujourd'hui, on écrirait « psitt » ou « pst ».

CLITANDRE, *à Claudine, qu'il prend pour Angélique.*
10 Madame.

ANGÉLIQUE, *à Lubin, qu'elle prend pour Clitandre.* Quoi ?

LUBIN, *à Angélique, qu'il prend pour Claudine.* Claudine.

CLAUDINE, *à Clitandre, qu'elle prend pour Lubin.* Qu'est-ce ?

CLITANDRE, *à Claudine, croyant parler à Angélique.* Ah !
15 Madame, que j'ai de joie !

LUBIN, *à Angélique, croyant parler à Claudine.* Claudine,
ma pauvre Claudine.

CLAUDINE, *à Clitandre.* Doucement, Monsieur.

ANGÉLIQUE, *à Lubin.* Tout beau, Lubin.

20 CLITANDRE. Est-ce toi, Claudine ?

CLAUDINE. Oui.

LUBIN. Est-ce vous, Madame ?

ANGÉLIQUE. Oui.

CLAUDINE, *à Clitandre.* Vous avez pris l'une pour
25 l'autre.

LUBIN. Ma foi, la nuit, on n'y voit goutte.

ANGÉLIQUE. Est-ce pas vous, Clitandre ?

ꞏꞏꞏꞏꞏꞏꞏꞏꞏꞏꞏꞏꞏ   ꞏꞏꞏꞏꞏꞏꞏꞏꞏꞏꞏꞏ

ANGÉLIQUE. Mon mari ronfle comme il faut, et j'ai
30 pris ce temps[1] pour nous entretenir ici.

CLITANDRE. Cherchons quelque lieu pour nous asseoir.

CLAUDINE. C'est fort bien avisé.

*(Ils vont s'asseoir au fond du théâtre sur un gazon, au pied
d'un arbre.)*

LUBIN. Claudine, où est-ce que tu es ?

---

1. *Pris ce temps :* choisi ce moment.

81

Acte III Scènes 1, 2

L'ACTION ET LES PERSONNAGES

1. Montrez en quoi la première scène fait avancer l'action.

2. À quel moment de la journée se passe cette scène 1 ? Pourquoi ? Citez la réplique qui donne la réponse.

3. Nous savons depuis le début que Lubin est « sot », mais dans cette scène il montre le désir d'être savant. Commentez la phrase de Clitandre à son propos : « Tu as la mine d'avoir l'esprit subtil et pénétrant » (lignes 17-18, sc. 1). Imaginez l'expression et les mimiques de Lubin à cet instant.

4. Que dit Angélique de son mari (sc. 2) ? Qu'en déduisez-vous ?

5. Quel rythme est donné aux scènes 1 et 2 ? Étudiez leur longueur ainsi que celle des répliques.

LE COMIQUE

6. D'où naît le comique dans la scène 1 ?

7. Quels sont les éléments relevant du comique de farce dans la scène 2 ?

8. Imaginez les jeux de scène accentuant le comique dans la scène 2.

SCÈNE 3. GEORGE DANDIN, *à moitié déshabillé*, LUBIN.

GEORGE DANDIN. J'ai entendu descendre ma femme, et je me suis vite habillé pour descendre après elle. Où peut-elle être allée ? Serait-elle sortie ?

LUBIN *(Il prend George Dandin pour Claudine.)* Où es-tu
5 donc, Claudine ? Ah ! te voilà. Par ma foi, ton maître est plaisamment attrapé, et je trouve ceci aussi drôle que les coups de bâton de tantôt dont on m'a fait récit. Ta maîtresse dit qu'il ronfle, à cette heure, comme tous les diantres, et il ne sait pas que Monsieur le
10 Vicomte et elle sont ensemble pendant qu'il dort. Je voudrais bien savoir quel songe[1] il fait maintenant. Cela est tout à fait risible ! De quoi s'avise-t-il aussi d'être jaloux de sa femme, et de vouloir qu'elle soit à lui tout seul ? C'est un impertinent, et Monsieur le Vicomte lui
15 fait trop d'honneur. Tu ne dis mot, Claudine. Allons, suivons-les, et me donne ta petite menotte que je la baise. Ah ! que cela est doux ! Il me semble que je mange des confitures. *(Comme il baise la main de Dandin, Dandin la lui pousse rudement au visage.)* Tubleu[2] ! comme
20 vous y allez ! Voilà une petite menotte qui est un peu bien rude.

GEORGE DANDIN. Qui va là ?

LUBIN. Personne.

GEORGE DANDIN. Il fuit, et me laisse informé de la
25 nouvelle perfidie de ma coquine. Allons, il faut que sans tarder j'envoie appeler son père et sa mère, et que cette aventure me serve à me faire séparer d'elle. Holà ! Colin, Colin.

---

1. *Songe :* rêve.
2. *Tubleu :* juron.

SCÈNE 4. COLIN, GEORGE DANDIN.

COLIN, *à la fenêtre.* Monsieur.

GEORGE DANDIN. Allons vite, ici-bas.

COLIN, *en sautant par la fenêtre.* M'y voilà ! on ne peut pas plus vite.

5 GEORGE DANDIN. Tu es là ?

COLIN. Oui, Monsieur. *(Pendant qu'il va lui parler d'un côté, Colin va de l'autre.)*

GEORGE DANDIN, *se tournant du côté où il croit qu'est Colin.* Doucement. Parle bas. Écoute. Va-t'en chez mon beau-père et ma belle-mère, et dis que je les prie très instamment de venir tout à l'heure ici. Entends-tu ?
10 Eh ? Colin, Colin.

COLIN, *de l'autre côté.* Monsieur.

GEORGE DANDIN. Où diable es-tu ?

COLIN. Ici.

GEORGE DANDIN *(Comme ils se vont tous deux chercher, l'un passe d'un côté, et l'autre de l'autre.)* Peste soit du
15 maroufle[1] qui s'éloigne de moi ! Je te dis que tu ailles de ce pas trouver mon beau-père et ma belle-mère, et leur dire que je les conjure de se rendre ici tout à l'heure. M'entends-tu bien ? Réponds, Colin, Colin.

COLIN, *de l'autre côté.* Monsieur.

20 GEORGE DANDIN. Voilà un pendard[2] qui me fera enrager. Viens-t'en à moi. *(Ils se cognent et tombent tous deux.)* Ah ! le traître ! il m'a estropié. Où est-ce que tu

---

1. *Maroufle :* personnage grossier.
2. *Pendard :* personne qui mérite d'être pendue.

es ? Approche, que je te donne mille coups. Je pense qu'il me fuit.

25 COLIN.   Assurément.

GEORGE DANDIN.   Veux-tu venir ?

COLIN.   Nenni, ma foi !

GEORGE DANDIN.   Viens, te dis-je.

COLIN.   Point : vous me voulez battre.

30 GEORGE DANDIN.   Hé bien ! non. Je ne te ferai rien.

COLIN.   Assurément ?

GEORGE DANDIN.   Oui. Approche. Bon. *(À Colin, qu'il tient par le bras.)* Tu es bien heureux[1] de ce que j'ai besoin de toi. Va-t'en vite de ma part prier mon beau-
35 père et ma belle-mère de se rendre ici le plus tôt qu'ils pourront, et leur dis que c'est pour une affaire de la dernière conséquence[2] ; et s'ils faisaient quelque difficulté à cause de l'heure, ne manque pas de les presser[3], et de leur faire entendre qu'il est très important qu'ils
40 viennent, en quelque état[4] qu'ils soient. Tu m'entends bien maintenant ?

COLIN.   Oui, Monsieur.

GEORGE DANDIN.   Va vite, et reviens de même. *(Se croyant seul.)* Et moi, je vais rentrer dans ma maison,
45 attendant que... Mais j'entends quelqu'un. Ne serait-ce point ma femme ? Il faut que j'écoute, et me serve de l'obscurité qu'il fait. *(George Dandin se range près de la porte de sa maison.)*

---

1. *Tu es bien heureux :* tu as bien de la chance.
2. *De la dernière conséquence :* de la plus grande importance.
3. *Les presser :* insister auprès d'eux.
4. *État :* tenue, vêtements.

SCÈNE 5. CLITANDRE, ANGÉLIQUE, GEORGE DANDIN, CLAUDINE, LUBIN.

ANGÉLIQUE, *à Clitandre*. Adieu. Il est temps de se retirer.

CLITANDRE. Quoi ? si tôt ?

ANGÉLIQUE. Nous nous sommes assez entretenus.

5 CLITANDRE. Ah ! Madame, puis-je assez vous entretenir, et trouver en si peu de temps toutes les paroles dont j'ai besoin ? Il me faudrait des journées entières pour me bien expliquer à vous de tout ce que je sens, et je ne vous ai pas dit encore la moindre partie de ce que 10 j'ai à vous dire.

ANGÉLIQUE. Nous en écouterons une autre fois davantage.

CLITANDRE. Hélas ! de quel coup me percez-vous l'âme lorsque vous parlez de vous retirer, et avec combien de 15 chagrins m'allez-vous laisser maintenant ?

ANGÉLIQUE. Nous trouverons moyen de nous revoir.

CLITANDRE. Oui ; mais je songe qu'en me quittant, vous allez trouver un mari. Cette pensée m'assassine, et les privilèges qu'ont les maris sont des choses cruelles 20 pour un amant qui aime bien.

ANGÉLIQUE. Serez-vous assez fort pour avoir cette inquiétude, et pensez-vous qu'on soit capable d'aimer de certains maris qu'il y a ? On les prend, parce qu'on ne s'en peut défendre, et que l'on dépend de parents 25 qui n'ont des yeux que pour le bien[1] ; mais on sait leur rendre justice, et l'on se moque fort de les considérer au-delà de ce qu'ils méritent.

---

1. *Bien :* fortune.

Clitandre (Jean-Claude Adelin) et Angélique (Zabou).
Adaptation cinématographique de Roger Planchon, 1988.

GEORGE DANDIN, *à part.*   Voilà nos carognes de femmes.
CLITANDRE.   Ah ! qu'il faut avouer que celui qu'on
30 vous a donné était peu digne de l'honneur qu'il a reçu,
et que c'est une étrange chose que l'assemblage qu'on
a fait d'une personne comme vous avec un homme
comme lui !

87

GEORGE DANDIN, *à part.* Pauvres maris ! voilà comme
35 on vous traite.

CLITANDRE. Vous méritez sans doute une autre
destinée, et le Ciel ne vous a point faite pour être la
femme d'un paysan.

GEORGE DANDIN. Plût au Ciel fût-elle[1] la tienne ! tu
40 changerais bien de langage. Rentrons ; c'en est assez.
(Il entre et ferme la porte.)

CLAUDINE. Madame, si vous avez à dire du mal de
votre mari, dépêchez vite, car il est tard.

CLITANDRE. Ah ! Claudine, que tu es cruelle !

ANGÉLIQUE, *à Clitandre.* Elle a raison. Séparons-nous.

45 CLITANDRE. Il faut donc s'y résoudre, puisque vous le
voulez. Mais au moins je vous conjure de me plaindre
un peu des méchants moments que je vais passer.

ANGÉLIQUE. Adieu.

LUBIN. Où es-tu, Claudine, que je te donne le bonsoir ?

50 CLAUDINE. Va, va, je le reçois de loin, et je t'en
renvoie autant.

---

1. *Fût-elle :* qu'elle soit.

Acte III Scènes 3, 4, 5

L'ACTION ET LES PERSONNAGES

1. D'où vient le quiproquo dans la scène 3 ?

2. Quel renseignement important est donné à George Dandin ?

3. Montrez comment les événements s'enchaînent dans la scène 3 pour accélérer le rythme de l'action.

4. Décrivez les réactions de George Dandin dans la scène 4.

5. Ce que veut faire George Dandin dans la scène 4 est-il surprenant ? Était-ce prévisible ? Justifiez votre réponse.

6. Pourquoi George Dandin apparaît-il moins comme un personnage sympathique que ridicule ?

7. Quels éléments la scène 5 apporte-t-elle pour comprendre l'action et l'attitude des personnages ? Citez le texte.

8. Montrez la fermeté d'Angélique et de Claudine vis-à-vis de Clitandre et Lubin (sc. 5). Que pouvez-vous en déduire sur ces deux personnages féminins ?

9. Lequel des personnages masculins montre de la jalousie dans la scène 5 ? Citez la réplique la plus significative à ce propos.

10. Qui Angélique rend-elle responsable de son mariage ? Citez le texte.

11. Les réflexions de George Dandin sont-elles entendues par les autres personnages ? Que révèlent ces paroles ? Qu'est-ce qui chagrine le plus George Dandin ?

LE COMIQUE

12. Étudiez le comique de mots et le comique de farce dans les scènes 3 et 4.

13. Quel obstacle s'oppose à la volonté de George Dandin d'agir vite (sc. 4) ? D'où provient le comique de cette scène ?

14. Trouvez-vous que la scène 5 soit drôle ? Pourquoi ?

SCÈNE 6. ANGÉLIQUE, CLAUDINE, GEORGE DANDIN.

ANGÉLIQUE.   Rentrons sans faire de bruit.

CLAUDINE.   La porte s'est fermée.

ANGÉLIQUE.   J'ai le passe-partout.

CLAUDINE.   Ouvrez donc doucement.

5 ANGÉLIQUE.   On a fermé en dedans, et je ne sais comment nous ferons.

CLAUDINE.   Appelez le garçon qui couche là.

ANGÉLIQUE.   Colin, Colin, Colin.

GEORGE DANDIN, *mettant la tête à sa fenêtre.* Colin, 10 Colin ? Ah ! je vous y prends donc, Madame ma femme, et vous faites des escampativos[1] pendant que je dors. Je suis bien aise de cela, et de vous voir dehors à l'heure qu'il est.

ANGÉLIQUE.   Hé bien ! quel grand mal est-ce qu'il y a 15 à prendre le frais de la nuit ?

GEORGE DANDIN.   Oui, oui, l'heure est bonne à prendre le frais. C'est bien plutôt le chaud, Madame la coquine ; et nous savons toute l'intrigue du rendez-vous, et du damoiseau. Nous avons entendu votre galant entretien, 20 et les beaux vers à ma louange que vous avez dits l'un et l'autre. Mais ma consolation, c'est que je vais être vengé, et que votre père et votre mère seront convaincus

---

1. *Vous faites des escampativos :* vous vous absentez en cachette.

maintenant de la justice de mes plaintes, et du
dérèglement de votre conduite. Je les ai envoyé quérir[1],
25 et ils vont être ici dans un moment.

ANGÉLIQUE, *à part.*   Ah Ciel !

CLAUDINE.   Madame.

GEORGE DANDIN.   Voilà un coup sans doute où vous
ne vous attendiez pas. C'est maintenant que je triomphe,
30 et j'ai de quoi mettre à bas votre orgueil, et détruire
vos artifices. Jusques ici vous avez joué[2] mes accusations,
ébloui vos parents, et plâtré[3] vos malversations. J'ai eu
beau voir, et beau dire, et votre adresse[4] toujours l'a
emporté sur mon bon droit, et toujours vous avez
35 trouvé moyen d'avoir raison ; mais à cette fois, Dieu
merci, les choses vont être éclaircies, et votre effronterie
sera pleinement confondue[5].

ANGÉLIQUE.   Hé ! je vous prie, faites-moi ouvrir la
porte.

40 GEORGE DANDIN.   Non, non ; il faut attendre la venue
de ceux que j'ai mandés[6], et je veux qu'ils vous trouvent
dehors à la belle heure qu'il est. En attendant qu'ils
viennent, songez, si vous voulez, à chercher dans votre
tête quelque nouveau détour pour vous tirer de cette
45 affaire, à inventer quelque moyen de rhabiller votre
escapade, à trouver quelque belle ruse pour éluder[7] ici

---

1. *Quérir :* chercher.
2. *Joué :* déjoué.
3. *Plâtré :* déguisé, caché.
4. *Adresse :* ruse.
5. *Confondue :* démasquée.
6. *Mandés :* fait appeler.
7. *Éluder :* tromper.

les gens et paraître innocente, quelque prétexte spécieux[1]
de pèlerinage nocturne, ou d'amie en travail d'enfant[2],
que vous veniez de secourir.

50 ANGÉLIQUE.   Non : mon intention n'est pas de vous
rien déguiser. Je ne prétends point me défendre, ni vous
nier les choses, puisque vous les savez.

GEORGE DANDIN.   C'est que vous voyez bien que tous
les moyens vous en sont fermés[3], et que dans cette
55 affaire vous ne sauriez inventer d'excuse qu'il ne me
soit facile de convaincre de fausseté[4].

ANGÉLIQUE.   Oui, je confesse que j'ai tort, et que vous
avez sujet de vous plaindre. Mais je vous demande par
grâce de ne m'exposer point maintenant à la mauvaise
60 humeur de mes parents, et de me faire promptement
ouvrir.

GEORGE DANDIN.   Je vous baise les mains.

ANGÉLIQUE.   Eh ! mon pauvre petit mari, je vous en
conjure !

65 GEORGE DANDIN.   Ah ! mon pauvre petit mari ? Je
suis votre petit mari maintenant, parce que vous vous
sentez prise. Je suis bien aise de cela, et vous ne vous
étiez jamais avisée de me dire de ces douceurs

ANGÉLIQUE.   Tenez, je vous promets de ne vous plus
70 donner aucun sujet de déplaisir, et de me...

GEORGE DANDIN.   Tout cela n'est rien. Je ne veux
point perdre cette aventure, et il m'importe qu'on soit
une fois éclairci à fond de vos déportements[5].

---

1. *Spécieux :* mensonger.
2. *En travail d'enfant :* en train d'accoucher.
3. *Tous... fermés :* vous n'avez aucune chance de vous en sortir.
4. *Qu'il... fausseté :* dont je ne puisse prouver la fausseté.
5. *Déportements :* mauvaises actions.

ANGÉLIQUE.   De grâce, laissez-moi vous dire. Je vous
75 demande un moment d'audience.

GEORGE DANDIN.   Hé bien, quoi ?

ANGÉLIQUE.   Il est vrai que j'ai failli[1], je vous l'avoue
encore une fois, et que votre ressentiment est juste ;
que j'ai pris le temps de sortir pendant que vous
80 dormiez, et que cette sortie est un rendez-vous que
j'avais donné à la personne que vous dites. Mais enfin
ce sont des actions que vous devez pardonner à mon
âge ; des emportements de jeune personne qui n'a
encore rien vu, et ne fait que d'entrer au monde ; des
85 libertés où l'on s'abandonne sans y penser de mal, et
qui sans doute dans le fond n'ont rien de...

GEORGE DANDIN.   Oui : vous le dites et ce sont de
ces choses qui ont besoin qu'on les croie pieusement.

ANGÉLIQUE.   Je ne veux point m'excuser par là d'être
90 coupable envers vous, et je vous prie seulement d'oublier
une offense dont je vous demande pardon de tout mon
cœur, et de m'épargner en cette rencontre le déplaisir
que me pourraient causer les reproches fâcheux[2] de
mon père et de ma mère. Si vous m'accordez
95 généreusement la grâce que je vous demande, ce procédé
obligeant[3], cette bonté que vous me ferez voir, me
gagnera[4] entièrement. Elle touchera tout à fait mon
cœur, et y fera naître pour vous ce que tout le pouvoir
de mes parents et les liens du mariage n'avaient pu y
100 jeter. En un mot, elle sera cause que je renoncerai à
toutes les galanteries, et n'aurai de l'attachement que
pour vous. Oui, je vous donne ma parole que vous

---

1. *Failli :* mal agi.
2. *Fâcheux :* pénibles.
3. *Obligeant :* plein d'attention.
4. *Me gagnera :* me conquerra.

m'allez voir désormais la meilleure femme du monde,
et que je vous témoignerai tant d'amitié, tant d'amitié,
105 que vous en serez satisfait.

GEORGE DANDIN.   Ah ! crocodile, qui flatte les gens
pour les étrangler.

ANGÉLIQUE.   Accordez-moi cette faveur.

GEORGE DANDIN.   Point d'affaires. Je suis inexorable[1].

110 ANGÉLIQUE.   Montrez-vous généreux.

GEORGE DANDIN.   Non.

ANGÉLIQUE.   De grâce !

GEORGE DANDIN.   Point.

ANGÉLIQUE.   Je vous en conjure[2] de tout mon cœur !

115 GEORGE DANDIN.   Non, non, non. Je veux qu'on soit
détrompé de vous, et que votre confusion éclate.

ANGÉLIQUE.   Hé bien ! si vous me réduisez au désespoir,
je vous avertis qu'une femme en cet état est capable
de tout, et que je ferai quelque chose ici dont vous
120 vous repentirez.

GEORGE DANDIN.   Et que ferez-vous, s'il vous plaît ?

ANGÉLIQUE.   Mon cœur se portera jusqu'aux extrêmes
résolutions, et de ce couteau que voici je me tuerai sur
la place.

125 GEORGE DANDIN.   Ah ! ah ! à la bonne heure !

ANGÉLIQUE.   Pas tant à la bonne heure pour vous que
vous vous imaginez. On sait de tous côtés nos
différends[3], et les chagrins perpétuels que vous concevez
contre moi. Lorsqu'on me trouvera morte, il n'y aura

---

1. *Inexorable :* inflexible.
2. *Conjure :* supplie.
3. *Différends :* disputes, désaccords.

130 personne qui mette en doute que ce ne soit vous qui
m'aurez tuée ; et mes parents ne sont pas gens
assurément à laisser cette mort impunie, et ils en feront
sur votre personne toute la punition que leur pourront
offrir et les poursuites de la justice, et la chaleur de
135 leur ressentiment[1]. C'est par là que je trouverai moyen
de me venger de vous, et je ne suis pas la première
qui ait su recourir à de pareilles vengeances, qui n'ait
pas fait difficulté de se donner la mort pour perdre
ceux qui ont la cruauté de nous pousser à la dernière
140 extrémité.

GEORGE DANDIN.   Je suis votre valet. On ne s'avise
plus de se tuer soi-même, et la mode en est passée il
y a longtemps.

ANGÉLIQUE.   C'est une chose dont vous pouvez vous
145 tenir sûr ; et si vous persistez dans votre refus, si vous
ne me faites ouvrir, je vous jure que tout à l'heure je
vais vous faire voir jusques où peut aller la résolution
d'une personne qu'on met au désespoir.

GEORGE DANDIN.   Bagatelles, bagatelles. C'est pour me
150 faire peur.

ANGÉLIQUE.   Hé bien ! puisqu'il le faut, voici qui nous
contentera tous les deux, et montrera si je me moque.
(Après avoir fait semblant de se tuer.) Ah ! c'en est fait.
Fasse le Ciel que ma mort soit vengée comme je le
155 souhaite, et que celui qui en est cause reçoive un juste
châtiment de la dureté qu'il a eue pour moi !

GEORGE DANDIN.   Ouais ! serait-elle bien si malicieuse
que de s'être tuée pour me faire pendre ? Prenons un
bout de chandelle pour aller voir.

---

1. *Chaleur de leur ressentiment :* étendue de leur douleur.

95

160 ANGÉLIQUE, *à Claudine.* St. Paix ! Rangeons-nous chacune immédiatement contre un des côtés de la porte.

GEORGE DANDIN. La méchanceté d'une femme irait-elle bien jusque-là ? *(Il sort avec un bout de chandelle, sans les apercevoir ; elles entrent ; aussitôt elles ferment la porte.)* Il n'y a personne. Eh ! je m'en étais bien douté, et la
165 pendarde s'est retirée, voyant qu'elle ne gagnait rien après moi, ni par prières ni par menaces. Tant mieux ! cela rendra ses affaires encore plus mauvaises, et le père et la mère qui vont venir en verront mieux son crime. *(Après avoir été à la porte de sa maison pour rentrer.)*
170 Ah ! ah ! la porte s'est fermée. Holà ! ho ! quelqu'un ! qu'on m'ouvre promptement !

ANGÉLIQUE, *à la fenêtre avec Claudine.* Comment ? c'est toi ? D'où viens-tu, bon pendard ? Est-il l'heure de revenir chez soi quand le jour est près de paraître ? et
175 cette manière de vie est-elle celle que doit suivre un honnête mari ?

CLAUDINE. Cela est-il beau d'aller ivrogner toute la nuit ? et de laisser ainsi toute seule une pauvre jeune femme dans la maison ?

180 GEORGE DANDIN. Comment ? vous avez...

ANGÉLIQUE. Va, va, traître, je suis lasse de tes déportements, et je m'en veux plaindre, sans plus tarder, à mon père et à ma mère.

GEORGE DANDIN. Quoi ? c'est ainsi que vous osez...

Acte III Scène 6

L'ACTION ET LES PERSONNAGES

1. Distinguez les différents moments de l'intrigue au cours de cette scène.
2. Quand le renversement de situation a-t-il lieu ? Qu'est-ce qui le permet ?
3. Quels sont les arguments employés par Angélique quand elle tente de fléchir son mari ? Les a-t-elle jamais employés jusqu'ici ? Peut-on dire qu'à ce moment le dénouement de la pièce dépend de la réponse de Dandin ? Justifiez votre réponse.
4. Répertoriez les expressions employées par Dandin pour refuser son pardon à Angélique. Que révèlent-elles des deux personnages ?
5. En quels termes George Dandin et Angélique parlent-ils respectivement du suicide ? Pourquoi leur conception en est-elle radicalement différente ?
6. Pourquoi Dandin finit-il par descendre au jardin ? Quelles intentions prête-t-il à Angélique ? Citez le texte.

LE COMIQUE

7. Quels sont les éléments directement empruntés à la farce dans cette scène ? Qu'est-ce qui relève du comique de situation ?
8. Peut-on parler ici d'un comique de mots ? d'un comique de caractère ? Justifiez votre réponse.

LE DIALOGUE

9. Quel effet résulte du contraste entre les longues tirades d'Angélique et les brèves répliques de son mari ?
10. Quel effet a l'aveu d'Angélique (lignes 77 à 86) sur Dandin ?
11. Les propos tenus par George Dandin à sa femme changent-ils dans cette scène ? Ont-ils jamais changé au cours de la pièce ?

SCÈNE 7. MONSIEUR ET MADAME
DE SOTENVILLE, COLIN, CLAUDINE, ANGÉLIQUE,
GEORGE DANDIN.

M. et Mme de Sotenville sont en habits de nuit, et conduits par Colin qui porte une lanterne.

ANGÉLIQUE, *à M. et Mme de Sotenville.* Approchez, de grâce, et venez me faire raison de l'insolence la plus grande du monde d'un mari à qui le vin et la jalousie ont troublé de telle sorte la cervelle qu'il ne sait plus
5 ni ce qu'il dit, ni ce qu'il fait, et vous a lui-même envoyé quérir pour vous faire témoins de l'extravagance[1] la plus étrange dont on ait jamais ouï parler. Le voilà qui revient comme vous voyez, après s'être fait attendre toute la nuit ; et, si vous voulez l'écouter, il vous dira
10 qu'il a les plus grandes plaintes du monde à vous faire de moi ; que durant qu'il dormait, je me suis dérobée[2] d'auprès de lui pour m'en aller courir, et cent autres contes de même nature qu'il est allé rêver.

GEORGE DANDIN, *à part.* Voilà une méchante carogne.

15 CLAUDINE. Oui, il nous a voulu faire accroire qu'il était dans la maison, et que nous en étions dehors, et c'est une folie qu'il n'y a pas moyen de lui ôter de la tête.

MONSIEUR DE SOTENVILLE. Comment, qu'est-ce à dire
20 cela ?

MADAME DE SOTENVILLE. Voilà une furieuse impudence[3] que de nous envoyer quérir.

GEORGE DANDIN. Jamais...

---

1. *Extravagance :* acte un peu fou.
2. *Dérobée :* échappée.
3. *Furieuse impudence :* audace folle.

ANGÉLIQUE.   Non, mon père, je ne puis plus souffrir
25 un mari de la sorte. Ma patience est poussée à bout,
et il vient de me dire cent paroles injurieuses.

MONSIEUR DE SOTENVILLE, *à George Dandin*.   Corbleu !
vous êtes un malhonnête homme.

CLAUDINE.   C'est une conscience de voir une pauvre
30 jeune femme traitée de la façon, et cela crie vengeance
au Ciel.

GEORGE DANDIN.   Peut-on... ?

MADAME DE SOTENVILLE.   Allez, vous devriez mourir
de honte.

35 GEORGE DANDIN.   Laissez-moi vous dire deux mots.

ANGÉLIQUE.   Vous n'avez qu'à l'écouter, il va vous en
conter de belles.

GEORGE DANDIN, *à part*.   Je désespère.

CLAUDINE.   Il a tant bu que je ne pense pas qu'on
40 puisse durer contre lui[1], et l'odeur du vin qu'il souffle
est montée jusqu'à nous.

GEORGE DANDIN.   Monsieur mon beau-père, je vous
conjure...

MONSIEUR DE SOTENVILLE.   Retirez-vous : vous puez le
45 vin à pleine bouche.

GEORGE DANDIN.   Madame, je vous prie...

MADAME DE SOTENVILLE.   Fi ! ne m'approchez pas :
votre haleine est empestée.

GEORGE DANDIN, *à M. de Sotenville*.   Souffrez que je
50 vous...

MONSIEUR DE SOTENVILLE.   Retirez-vous, vous dis-je :
on ne peut vous souffrir.

---

1. *Durer contre lui :* supporter sa présence.

GEORGE DANDIN, *à Mme de Sotenville*.   Permettez, de grâce, que...

55   MADAME DE SOTENVILLE.   Pouah ! vous m'engloutissez le cœur[1]. Parlez de loin, si vous voulez.

GEORGE DANDIN.   Hé bien oui, je parle de loin. Je vous jure que je n'ai bougé de chez moi, et que c'est elle qui est sortie.

60   ANGÉLIQUE.   Ne voilà pas ce que je vous ai dit ?

CLAUDINE.   Vous voyez quelle apparence il y a.

MONSIEUR DE SOTENVILLE, *à George Dandin*.   Allez, vous vous moquez des gens. Descendez, ma fille, et venez ici.

65   GEORGE DANDIN.   J'atteste le Ciel que j'étais dans la maison, et que...

MADAME DE SOTENVILLE.   Taisez-vous, c'est une extravagance qui n'est pas supportable.

GEORGE DANDIN.   Que la foudre m'écrase tout à l'heure
70   si...

MONSIEUR DE SOTENVILLE.   Ne nous rompez pas davantage la tête, et songez à demander pardon à votre femme.

GEORGE DANDIN.   Moi, demander pardon ?

75   MONSIEUR DE SOTENVILLE.   Oui, pardon, et sur-le-champ.

GEORGE DANDIN.   Quoi ? je...

MONSIEUR DE SOTENVILLE.   Corbleu ! si vous me répliquez, je vous apprendrai ce que c'est que de vous jouer à[2] nous.

80   GEORGE DANDIN.   Ah ! George Dandin !

---

1. *M'engloutissez le cœur :* me donnez mal au cœur.
2. *À :* de.

MONSIEUR DE SOTENVILLE.   Allons, venez, ma fille, que votre mari vous demande pardon.

ANGÉLIQUE, *descendue*.   Moi ? lui pardonner tout ce qu'il m'a dit ? Non, non, mon père, il m'est impossible
85 de m'y résoudre, et je vous prie de me séparer d'un mari avec lequel je ne saurais plus vivre.

CLAUDINE.   Le moyen d'y résister[1] ?

MONSIEUR DE SOTENVILLE.   Ma fille, de semblables séparations ne se font point sans grand scandale, et
90 vous devez vous montrer plus sage que lui, et patienter encore cette fois.

ANGÉLIQUE.   Comment patienter après de telles indignités ? Non, mon père, c'est une chose où je ne puis consentir.

95 MONSIEUR DE SOTENVILLE.   Il le faut, ma fille, et c'est moi qui vous le commande.

ANGÉLIQUE.   Ce mot me ferme la bouche, et vous avez sur moi une puissance absolue.

CLAUDINE.   Quelle douceur !

100 ANGÉLIQUE.   Il est fâcheux d'être contrainte d'oublier de telles injures ; mais quelle violence que je me fasse, c'est à moi de vous obéir.

CLAUDINE.   Pauvre mouton !

MONSIEUR DE SOTENVILLE, *à Angélique*.   Approchez.

105 ANGÉLIQUE   Tout ce que vous me faites faire ne servira de[2] rien, et vous verrez que ce sera dès demain à recommencer.

MONSIEUR DE SOTENVILLE.   Nous y donnerons ordre. *(À George Dandin.)* Allons, mettez-vous à genoux.

---

1. *Le moyen d'y résister :* comment refuser cela.
2. *De :* à.

110 GEORGE DANDIN.   À genoux ?

MONSIEUR DE SOTENVILLE.   Oui, à genoux, et sans tarder.

GEORGE DANDIN. *Il se met à genoux, une chandelle à la main. (À part.)* Ô Ciel ! *(À M. de Sotenville.)* Que faut-il dire ?

115 MONSIEUR DE SOTENVILLE.   « Madame, je vous prie de me pardonner. »

GEORGE DANDIN.   « Madame, je vous prie de me pardonner. »

MONSIEUR DE SOTENVILLE.   « L'extravagance que j'ai
120 faite. »

GEORGE DANDIN.   « L'extravagance que j'ai faite » *(à part)* de vous épouser.

MONSIEUR DE SOTENVILLE.   « Et je vous promets de mieux vivre[1] à l'avenir. »

125 GEORGE DANDIN.   « Et je vous promets de mieux vivre à l'avenir. »

MONSIEUR DE SOTENVILLE, *à George Dandin.*   Prenez-y garde, et sachez que c'est ici la dernière de vos impertinences que nous souffrirons.

130 MADAME DE SOTENVILLE.   Jour de Dieu ! si vous y retournez, on vous apprendra le respect que vous devez à votre femme, et à ceux de qui elle sort.

MONSIEUR DE SOTENVILLE.   Voilà le jour qui va paraître. *(À George Dandin.)* Rentrez chez vous, et songez bien à
135 être sage. *(À Mme de Sotenville.)* Et nous, mamour, allons nous mettre au lit.

---

1. *Mieux vivre :* avoir davantage de savoir-vivre.

SCÈNE 8. GEORGE DANDIN, *seul.*

Ah ! je le quitte maintenant, et je n'y vois plus de remède ; lorsqu'on a, comme moi, épousé une méchante femme, le meilleur parti qu'on puisse prendre, c'est de s'aller jeter dans l'eau la tête la première.

J B. P. de Molière

Acte III Scènes 7, 8

L'ACTION ET LES PERSONNAGES

1. Dans la scène 7, Angélique demande à être séparée de son mari. Ce souhait est-il partagé par George Dandin ? Retrouvez la scène qui permet de répondre.
2. Qu'est-ce qui oblige Angélique et Dandin à rester ensemble ?
3. Quel rôle ambigu jouent les Sotenville dans les rapports entre Angélique et son mari ?
4. Quelle est l'intention de George Dandin dans la scène 8 ? Le prenez-vous au sérieux ? Justifiez votre réponse.
5. La pièce aurait-elle pu s'arrêter à la fin de la scène 7 ? Pourquoi ? Qu'apporte selon vous la courte scène 8 ?

LECTURE ET INTERPRÉTATION

6. Quels sont les éléments comiques de la scène 7 ? Pourquoi, à votre avis, de nombreux spectateurs jugent-ils cette scène grave ?
7. Imaginez des jeux de scène mettant en relief, d'une part, le côté comique de la scène 7 et, d'autre part, son côté pathétique.
8. Qu'est-ce qui permet à la pièce de rester une comédie ?

QUESTIONS SUR L'ENSEMBLE DE L'ACTE III

1. Peut-on comparer la structure de l'acte III à celle des actes I et II ? Que révèle cette comparaison ?
2. Dans quel sens évolue l'intrigue au cours de cet acte ? Y a-t-il une accélération de l'action ? Justifiez votre réponse.
3. Montrez que George Dandin fait preuve de plus de dynamisme dans cet acte que dans les précédents. Qu'est-ce qui contrarie ses projets ?
4. Quelles sont les diverses formes de comique dans cet acte ? Les éléments comiques sont-ils liés à la progression de l'action ou bien jouent-ils un rôle de frein ?
5. Les personnages ont-ils changé au cours de la pièce ? Justifiez votre réponse.

Documentation thématique

Le mariage au XVIIe siècle

Une société très hiérarchisée

Dans la société française du XVIIe siècle, chacun trouve sa place à l'intérieur d'une classe. Les séparations sont très nettes, au point qu'on inflige des amendes à ceux qui, par exemple, s'habillent au-dessus de leur condition. On distinguait habituellement six grandes catégories : la noblesse, le clergé, les fonctionnaires, les marchands, les artisans, les paysans.

Il faut y ajouter les gens d'armes, les membres des professions que nous appelons aujourd'hui libérales (notaires, avocats, médecins, etc.).

Les possibilités d'ascension sociale

Au sommet de la pyramide règne la haute noblesse, inamovible, très puissante mais numériquement faible. Les autres catégories tentent de profiter, bien qu'elles la subissent parfois, de la mobilité sociale. Celle-ci est importante jusqu'en 1720. Ceux qui ont de l'ambition peuvent espérer monter dans la hiérarchie sociale.

C'est le cas de George Dandin. À l'inverse, les Sotenville ont perdu de leur pouvoir et espèrent retrouver le niveau de vie dû à leur rang, grâce à l'argent de George Dandin. Reste à examiner si les Sotenville et George Dandin ont procédé de la meilleure manière.

Comment devenir noble ?

Au XVIIe siècle, la meilleure réussite sociale se traduit, au bout de plusieurs générations, par l'appartenance à la noblesse. On comprend que George Dandin poursuive ce but pour ses enfants : c'est celui de tous ceux qui sont riches, à cette époque.

Trois milieux sociaux fournissent alors les bases de la « nouvelle noblesse » : les hommes de loi, les riches marchands des villes et les paysans propriétaires de nombreuses terres. Selon les provinces, les candidats à la noblesse proviennent davantage de l'une ou de l'autre de ces catégories. Ainsi, en Normandie, les deux tiers d'entre eux sont à l'origine des juristes.

On ne peut pas, sous le règne de Louis XIV, accéder directement à la noblesse. Il faut passer par de nombreuses étapes : on devient, par exemple, homme de loi avec une charge relativement importante ou encore notable dans une ville. Il est aussi nécessaire de réaliser un mariage avantageux. Un tel choix n'a rien de scandaleux à une époque où presque tous les mariages sont « arrangés », sans que les sentiments soient pris en compte.

Le mariage : indispensable levier social

Le mariage, tout au long du XVIIe siècle, et dans tous les milieux, résulte généralement d'un calcul et de manœuvres plus ou moins savantes. Le mariage d'amour inquiète tous les milieux ; on préfère ce qu'on appelle le mariage de raison. Il s'agit avant tout de réaliser « une bonne affaire ».

Un écrivain de cette époque, Furetière, a même

déclaré qu'on avait la méchante coutume de « marier un sac d'argent à un sac d'argent ». Et il a établi un véritable « tarif » des dots que les fiancées devaient apporter en fonction de la position sociale de leur futur époux.

Sans argent, la beauté d'une jeune fille n'est guère considérée. Mais la fortune et la beauté permettent d'accélérer l'ascension sociale : dans ce cas, une jeune fille ayant 30 000 livres de dot peut espérer épouser, par exemple, un trésorier de France, situation qui nécessiterait, théoriquement, l'apport d'une dot de 40 000 livres. Du côté des hommes, seules la fortune et la charge, ou le titre, sont pris en compte. Une grande différence d'âge entre les deux époux est rarement considérée comme un obstacle au mariage.

Alliances et mésalliances

Dans la société très rigide du XVIIe siècle, on considère que l'inégalité sociale entre les fiancés constitue un cas de mésalliance. Pour les Sotenville, il y a inégalité sociale entre leur gendre et leur fille ; et pourtant l'argent de Dandin leur a fait accepter ce mariage.

En effet, à l'époque où Molière écrit *George Dandin*, les revenus que les nobles de province tirent de leurs terres ont considérablement baissé. La rente foncière s'est en quelque sorte dévaluée au cours des siècles. Or les nobles ne peuvent théoriquement pas exercer d'activités roturières (commerce, industrie, etc.). Beaucoup sont donc appauvris. Ces familles ont perdu aussi de leur prestige : elles ne peuvent plus vivre ainsi que leur rang l'exige. Et, sous le règne de Louis XIV, le phénomène ne cesse de s'accentuer. Nombre de familles de la petite noblesse de province n'arrivent plus à constituer des dots qui permettent à leurs filles d'épouser un homme de leur milieu. Elles acceptent donc des mésalliances, de plus en plus nombreuses au cours du XVIIᵉ siècle. On dit de ces familles qu'elles « redorent leur blason » en acceptant dans leurs rangs un riche roturier.

Les mésalliances ne frappaient pas que les filles. Il y avait même à l'époque une expression amusante qui circulait : on parlait de « faire un boudin » ; cela signifiait que le mari était un gentilhomme qui avait épousé une riche roturière. On disait ceci : « Le mari anoblit la femme, et est le soutien de la maison (c'est-à-dire de la famille) ; la femme qui est riche fournit la graisse pour l'entretenir. »

Dans le cas de George Dandin, la situation est inversée : c'est lui qui « fournit la graisse », et c'est Angélique qui transmettra la noblesse à leurs enfants. Les Sotenville appartiennent à cette classe dont on se moque beaucoup au XVIIᵉ siècle : les nobles campagnards, désargentés, éloignés de la vie de la Cour, et néanmoins très pointilleux sur leurs droits.

En plus de la dégradation de leur condition, ces « petits nobles » subissent à deux reprises les enquêtes de recherche de noblesse ordonnées par Louis XIV qui éliminent ceux qui ne disposent pas de revenus suffisants. Enfin, nobles de cour et riches bourgeois se moquent des prétentions des gentilshommes campagnards.

Les Sotenville possèdent un titre menacé, faute d'argent. George Dandin est riche et rêve d'un titre. Son mariage avec Angélique constitue en apparence une solution susceptible de satisfaire chacun.

Le couple Angélique-Dandin

La protestation d'Angélique contre la façon dont a été arrangé son mariage est très compréhensible pour le spectateur du XXe siècle. En 1668, la plus grande partie du public admettait sa revendication dans la mesure où elle portait sur le fait d'être consultée avant la conclusion du mariage, ou sur le fait que son époux aurait dû chercher à poser les bases d'une bonne entente. De telles idées commençaient à se répandre. Mais, en général, la compréhension des gens du XVIIe siècle s'arrêtait là.

Quant à George Dandin, il paraît ridicule, car il a voulu accéder trop vite à la noblesse, sans en connaître les codes. De plus, selon l'opinion générale de cette époque, si l'amour n'est pas nécessaire entre les époux, en revanche, une bonne amitié doit être cultivée, ce que George Dandin n'a jamais cherché à obtenir.

Dandin et les inégalités sociales

La pièce de Molière s'inscrit donc dans l'actualité de son époque. En traitant d'une forme de mésalliance, il a abordé un sujet qui ne pouvait qu'intéresser ses contemporains. On comprend alors que *George Dandin* attire davantage de spectateurs que *le Misanthrope*, en 1668.

La sensibilité de notre époque n'est pas la même. Cependant, *George Dandin* reste une pièce très souvent jouée car elle pose, à travers le problème de la mésalliance, celui des inégalités et des différences sociales.

Affronter les inégalités sociales

La satire de l'ascension sociale

Dans le conte *Jeannot et Colin*, Voltaire a voulu souligner, entre autres, le ridicule et la bêtise de certaines personnes qui, ayant soudainement fait fortune, sont grisées par ce nouvel état.

Plusieurs personnes dignes de foi ont vu Jeannot et Colin à l'école dans la ville d'Issoire, en Auvergne, ville fameuse dans tout l'univers par son collège et par ses chaudrons. Jeannot était fils d'un marchand de mulets très renommé, et Colin devait le jour à un brave laboureur des environs, qui cultivait la terre avec quatre mulets, et qui, après avoir payé la taille, le taillon, les aides et gabelles, le sou pour livre, la capitation et les vingtièmes ne se trouvait pas puissamment riche au bout de l'année.

Jeannot et Colin étaient fort jolis pour des Auvergnats ; ils s'aimaient beaucoup, et ils avaient ensemble de petites privautés, de petites familiarités, dont on se ressouvient toujours avec agrément quand on se rencontre ensuite dans le monde.

Le temps de leurs études était sur le point de finir, quand un tailleur apporta à Jeannot un habit de velours à trois couleurs, avec une veste de Lyon de fort bon goût ; le tout était accompagné d'une lettre à monsieur de La Jeannotière. Colin admira l'habit, et ne fut point jaloux ; mais Jeannot prit un air de supériorité qui affligea Colin. Dès ce moment Jeannot n'étudia plus, se regarda au miroir, et méprisa tout le monde. Quelque temps après un valet de chambre arrive en poste, et apporte une seconde lettre à monsieur le marquis de La Jeannotière : c'était un ordre de monsieur son père de faire venir monsieur son fils à Paris. Jeannot monta en chaise en tendant la main à Colin avec un sourire de protection assez noble. Colin sentit son néant ; et pleura. Jeannot partit dans toute la pompe de sa gloire.

Les lecteurs qui aiment à s'instruire doivent savoir que monsieur Jeannot le père avait acquis assez rapidement des biens immenses dans les affaires. Vous demandez comment on fait ces grandes fortunes ? C'est parce qu'on est heureux. [...]

Dès qu'on est dans le fil de l'eau, il n'y a qu'à se laisser aller ; on fait sans peine une fortune immense. Les gredins, qui du rivage vous regardent voguer à pleines voiles, ouvrent des yeux étonnés ; ils ne savent comment vous avez pu parvenir ; ils vous envient au hasard, et font contre vous des brochures que vous ne lisez point. C'est ce qui arriva à Jeannot le père, qui fut bientôt monsieur de La Jeannotière, et qui, ayant acheté un marquisat au bout de six mois, retira de l'école monsieur le marquis son fils, pour le mettre à Paris dans le beau monde.

Colin, toujours tendre, écrivit une lettre de compliments à son ancien camarade, et lui fit ces lignes pour le congratuler. Le petit marquis ne lui fit point de réponse : Colin en fut malade de douleur.

Le père et la mère donnèrent d'abord un gouverneur au jeune marquis : ce gouverneur, qui était un homme du bel air, et qui ne savait rien, ne put rien enseigner à son pupille. Monsieur voulait que son fils apprît le latin, madame ne le voulait pas. Ils prirent pour arbitre un auteur qui était célèbre alors par des ouvrages agréables. Il fut prié à dîner. Le maître de la maison commença par lui dire d'abord : « Monsieur comme vous savez le latin, et que vous êtes un homme de la cour...

— Moi, monsieur, du latin ! je n'en sais pas un mot, répondit le bel esprit, et bien m'en a pris ; il est clair qu'on parle beaucoup mieux sa langue quand on ne partage pas son application entre elle et les langues étrangères. Voyez toutes nos dames, elles ont l'esprit plus agréable que les hommes ; leurs lettres sont écrites avec cent fois plus de grâce ; elles n'ont sur nous cette supériorité que parce qu'elles ne savent pas le latin.

— Eh bien ! n'avais-je pas raison ? dit madame. Je veux que mon fils soit un homme d'esprit, qu'il réussisse dans le monde ; et vous voyez bien que, s'il savait le latin, il serait perdu. Joue-t-on, s'il vous plaît, la comédie et l'opéra en latin ? Plaide-t-on en latin quand on a un procès ? Fait-on l'amour en latin ? »

Monsieur, ébloui de ces raisons, passa condamnation, et il fut conclu que le jeune marquis ne perdrait point son temps à connaître Cicéron, Horace, et Virgile. Mais qu'apprendra-t-il donc ? car encore faut-il qu'il sache quelque chose ; ne pourrait-on pas lui montrer un peu de géographie ? « À quoi cela lui servira-t-il ? répondit le gouverneur. Quand monsieur le marquis ira dans ses terres les postillons ne sauront-ils pas les chemins ? ils ne l'égareront certainement pas. On n'a pas besoin d'un quart de cercle pour voyager, et on va très commodément de Paris en Auvergne, sans qu'il soit besoin de savoir sous quelle latitude on se trouve.

— Vous avez raison, répliqua le père ; mais j'ai entendu parler d'une belle science qu'on appelle, je crois, l'astronomie.

— Quelle pitié ! repartit le gouverneur ; se conduit-on par les astres dans ce monde ? et faudra-t-il que monsieur le marquis se tue à calculer une éclipse, quand il la trouve à point nommé dans l'almanach, qui lui enseigne de plus les fêtes mobiles, l'âge de la lune, et celui de toutes les princesses de l'Europe ? »

Madame fut entièrement de l'avis du gouverneur. Le petit marquis était au comble de la joie ; le père était très indécis. « Que faudra-t-il donc apprendre à mon fils ? disait-il.

— À être aimable, répondit l'ami que l'on consultait ; et s'il sait les moyens de plaire, il saura tout : c'est un art qu'il apprendra chez madame sa mère, sans que ni l'un ni l'autre se donnent la moindre peine. »

Voltaire,
Jeannot et Colin, 1764.

La stratégie du mariage

George Sand a raconté, dans *Histoire de ma vie*, certains événements qui ont marqué son existence. Elle accorde une place particulière au récit de son mariage. Elle vivait alors à la campagne chez des amis de sa mère, les Duplessis, dans un château près de Melun. Or, George Sand (qui s'appelait en réalité Aurore Dupin) a été demandée en mariage par un jeune officier, Casimir Dudevant. Le père du jeune homme et la mère de la jeune fille se sont vite rendus au château du Plessis : il ne suffit pas que les jeunes gens soient attirés l'un par l'autre ; il faut que leurs rangs sociaux correspondent et que leur avenir social soit assuré. Le mariage ne peut intervenir qu'au terme d'une négociation.

Ma mère resta quelques jours, fut aimable et gaie, taquina son futur gendre pour l'éprouver, le trouva bon garçon, et partit en nous permettant de rester ensemble sous les yeux de madame Angèle. Il avait été convenu que l'on attendrait pour fixer l'époque du mariage le retour à Paris de madame Dudevant, qui avait été passer quelque temps dans sa famille, au Mans. Jusque-là on devait prendre connaissance entre parents de la fortune réciproque, et le colonel devait régler le sort que, de son vivant, il voulait assurer à son fils.

Au bout d'une quinzaine, ma mère retomba comme une bombe au Plessis. Elle avait découvert que Casimir, au milieu d'une existence désordonnée, avait été pendant quelque temps garçon de café. Je ne sais où elle avait pêché cette billevesée. Je crois que c'était un rêve qu'elle avait fait la nuit précédente et qu'au réveil elle avait pris au sérieux.

Ce grief fut accueilli par des rires qui la mirent en colère. James eut beau lui répondre sérieusement, lui dire qu'il n'avait presque jamais perdu de vue la famille Dudevant, que Casimir n'était jamais tombé dans aucun désordre ; Casimir lui-même eut beau protester qu'il n'y avait pas de honte à être garçon de café, mais que n'ayant quitté l'école militaire que pour faire campagne comme sous-lieutenant, et n'ayant quitté l'armée au licenciement que pour faire son droit à Paris, demeurant chez son père et jouissant d'une bonne pension, ou le suivant à la campagne où il était sur le pied d'un fils de famille, il n'avait jamais eu, même pendant huit jours, même pendant douze heures, le loisir de servir dans un café ; elle s'y obstina, prétendit qu'on se jouait d'elle, et m'emmenant dehors, se répandit en invectives délirantes contre madame Angèle, ses mœurs, le ton de sa maison et les intrigues de Duplessis, qui faisait métier de marier les héritières avec des aventuriers pour en tirer des pots-de-vin, etc., etc. [...]

115

Elle partit le soir même, revint encore faire des scènes du même genre, et, en somme, sans être beaucoup priée, me laissa au Plessis jusqu'à l'arrivée de madame Dudevant à Paris. Voyant alors qu'elle donnait suite au mariage et me rappelait auprès d'elle avec des intentions qui paraissaient sérieuses, je la rejoignis rue Saint-Lazare, dans un nouvel appartement assez petit, et assez laid, qu'elle avait loué derrière l'ancien Tivoli.

Des fenêtres de mon cabinet de toilette je voyais ce vaste jardin, et dans la journée, je pouvais, pour une très mince rétribution, m'y promener avec mon frère, qui venait d'arriver et qui s'installa dans une soupente au-dessus de nous.

Madame Dudevant vint faire sa visite officielle à ma mère. Elle ne la valait certes pas pour le cœur et l'intelligence, mais elle avait des manières de grande dame et l'extérieur d'un ange de douceur. Je donnai tête baissée dans la sympathie que son petit air souffrant, sa voix faible et sa jolie figure distinguée inspiraient dès l'abord, et m'inspirèrent, à moi, plus longtemps que de raison. Ma mère fut flattée de ses avances qui caressaient justement l'endroit froissé de son orgueil.

Le mariage fut décidé ; et puis il fut remis en question, et puis rompu, et puis repris au gré des caprices qui durèrent jusqu'à l'automne et qui me rendirent encore souvent bien malheureuse et bien malade ; car j'avais beau reconnaître avec mon frère qu'au fond de tout cela ma mère m'aimait et ne pensait pas un mot des affronts que prodiguait sa langue, je ne pouvais m'habituer à ces alternatives de gaieté folle et de sombre colère, de tendresse expansive et d'indifférence apparente ou d'aversion fantasque.

George Sand,
Histoire de ma vie, 1847-1853.

Un couple marginalisé

Claire Etcherelli décrit dans *Élise ou la vraie vie* un univers qu'elle connaît bien : celui des « oubliés de la prospérité ». L'histoire d'Élise et d'Arezki relate les difficultés sociales d'un couple, mais aussi, en pleine guerre d'Algérie, la rencontre délicate d'une jeune Française avec les immigrés maghrébins dont elle découvre peu à peu les conditions d'existence, les mœurs, etc.

— Mustapha a trop parlé, comme ton frère.

Je le questionnai. Qu'avait dit Mustapha ? Et à qui ?

— Mustapha habite la même rue que moi. Il a parlé dans le quartier. À l'usine aussi, puisque Saïd, celui qui est aux pavillons, me l'a répété. Tant pis. Je suis presque soulagé. J'avais pris mes précautions, maintenant, c'est fini, il ne faut pas le regretter. Nous ne nous cacherons plus. Seulement, tu dois comprendre que j'ai des... occupations ; je ne suis pas toujours libre. J'ai bien réfléchi. Ce qu'il nous faut, c'est un endroit où nous serions enfin seuls. Qu'est-ce que tu en penses ?

Je lui donnai l'impression d'avoir mal compris.

— Mais non, pas un café. Je voulais dire, il nous faut une chambre.

Il reprit aussitôt :

— À ton foyer, pas question. Moi, je n'habite pas seul. Il faut trouver. Maintenant, nous allons chez un oncle qui habite au coin de cette rue. Je vais essayer de le rouler. On verra bien.

— J'y vais moi aussi ?

— Mais oui, maintenant, ma chère Élise, tu fais ton entrée chez les frères.

La maison semblait abandonnée. Pas un bruit ne passait les murs.

— Évidemment, dit Arezki. C'est l'économat de l'usine en face. Il y a seulement trois locataires. Lui habite au dernier étage.

Il frappa à l'unique porte du septième. Personne ne répondait ; il frappa encore, appela, se nomma. La porte s'ouvrit. Un petit homme gros, broussailleux, apparut. Il couvrit Arezki de gémissements joyeux et nous fit entrer. Comme il questionnait Arezki en me désignant, celui-ci l'arrêta.

— Elle ne comprend pas, parle français. Je te présente Élise.

Il m'adressa un froid bonsoir et se tourna vers son neveu.

— Asseyez-vous.

Il nous désigna le lit. Ce dernier occupait la plus grande partie de la pièce. Il avait des montants de fer peints en blanc et un matelas si mince qu'en m'asseyant je sentis les ressorts. La chambre minuscule s'ouvrait sur le toit par un vasistas dont la barre de fer pendait au-dessus de la tête du vieil homme.

Par terre, entre des casseroles et des paniers, un réchaud électrique supportait une grande cafetière. Il était relié, par un long fil, à la prise qui supportait l'ampoule éclairant cette mansarde.

La conversation entre eux s'éternisait. Malgré lui, l'oncle revenait à sa langue, Arezki aussi de temps en temps. Alors, il se reprenait et se tournait vers moi.

— Excuse-nous, c'est l'habitude. [...]

Et ils se lancèrent dans de nouvelles histoires de famille où je ne comprenais rien.

Claire Etcherelli,
Élise ou la vraie vie, Denoël, 1967.

Annexes

Les sources de la pièce

La reprise d'un thème déjà abordé

La lecture du théâtre de Molière montre que le sujet de *George Dandin* a déjà été abordé dans *la Jalousie du Barbouillé*, farce créée en province vers 1646 et représentée sept fois à Paris entre 1660 et 1664. Cette farce est elle-même inspirée d'un conte de Boccace, *le Jaloux corrigé*.

Mais les scènes de *la Jalousie du Barbouillé* se limitent parfois à des ébauches de quelques lignes, canevas à partir duquel les comédiens devaient improviser. C'est surtout le renversement final que l'on retrouve dans *George Dandin*. En revanche, les caractères des personnages n'ont pas, dans la farce, la même épaisseur que ceux de la comédie de 1668.

Autres influences

Sans qu'on puisse avoir de certitude à ce sujet, on peut rapprocher la comédie de Molière de plusieurs œuvres ou genres. Sa ressemblance est frappante avec un autre conte du *Décaméron* de Boccace : le huitième conte de la septième journée présente un riche marchand qui cherche à devenir gentilhomme par son mariage et veut convaincre ses beaux-parents de l'inconduite de leur fille.

La situation de George Dandin rappelle aussi celle de plusieurs fabliaux du Moyen Âge. On pourrait citer, par exemple, *le Vilain mire*, où un riche paysan imagine de battre sa femme noble le matin, pour qu'elle ne le trompe pas, puis de se faire pardonner le soir. Mais l'épouse battue sait trouver une vengeance cuisante et renverser la situation à son profit.

Une histoire très diffusée au XVe siècle a pu aussi bien inspirer Molière : il s'agit de l'*Historia septem sapientium*. Pour se venger de sa femme, un mari la laisse volontairement dans la rue, afin qu'elle soit arrêtée par le guet, et se montre sourd aux supplications qu'elle lui adresse. Mais la rusée lui fait croire qu'elle se jette dans un puits. Le mari sort, se trouve dans l'impossibilité de rentrer, et c'est lui que le guet surprend !

George Dandin : une farce ou une comédie ?

Les critiques n'ont pas manqué de relever l'existence de quatre farces dans l'œuvre de Molière. La dernière en date n'est autre que *le Médecin malgré lui*, farce en trois actes jouée à partir de 1666, deux ans seulement avant la représentation de *George Dandin*. On sait également que Molière n'a jamais cessé d'introduire des éléments de farce dans ses grandes comédies. Il est donc intéressant de rechercher comment se répartissent les effets comiques dans la pièce.

Les effets issus de la farce

La farce faisait rire le parterre (et parfois les galeries). Dans *George Dandin*, le comique de farce se manifeste à travers trois types d'effets.

Le comique de gestes
C'est la forme la plus simple de comique. On la retrouve au cours de chaque acte : par exemple, dans la scène des excuses de Dandin à Clitandre (acte I), lorsque Dandin reçoit des coups de bâton (acte II) ou lorsque Lubin baise la main de George Dandin en la confondant avec celle de Claudine (acte III).

Le comique de situation
Il se manifeste d'abord dans les quiproquos placés au début de chacun des actes. C'est encore une situation de farce que l'on retrouve dans le renversement de situation qui s'opère à

122

la scène 6 de l'acte III : tel est pris qui croyait prendre, et Angélique berne son mari d'une manière qui a déjà été présentée dans des fabliaux, ou dans la farce de *la Jalousie du Barbouillé*.

Le comique de situation conduit aussi à un rire plus ambigu, quand le spectateur voit George Dandin agenouillé, à la fin de la pièce. Ce n'est plus seulement la situation farcesque de l'arroseur arrosé. On peut y voir un élément de drame.

Les répétitions

Au-delà des distinctions classiques relatives aux diverses formes de comique, on peut relever les répétitions qui provoquent le rire : par exemple, les répétitions de mots de George Dandin dans les monologues des actes I et II.

Mais il faut noter une forme plus subtile de répétition : la reprise, avec variations, de la structure de l'intrigue au cours de chacun des trois actes. Cette reprise de la structure de l'intrigue n'est pas une simple répétition et les variations conduisent à une accélération du rythme de l'action, ainsi qu'à la montée de la tension.

Une telle organisation dépasse celle de la simple farce : le mouvement de la pièce naît du jeu répétitif. Si la répétition appartient bien au registre traditionnel de la farce, elle est devenue un motif de la comédie.

La part de la comédie

Le comique de caractère

C'est la forme de comique que l'on attribue généralement aux grandes comédies de Molière. On pourra se reporter aux guides d'explication qui insistent sur les manifestations comiques de ce type.

Le comique de caractère n'est pas engendré de la même manière par les principaux personnages de *George Dandin*. Si les Sotenville sont toujours ridicules, il n'en est pas de même pour Angélique et pour Dandin. Ce dernier n'inspire guère de pitié au spectateur, en raison de ses obsessions aveugles, de sa soumission aux ordres des Sotenville, mais il n'en reste pas moins un personnage qui trouble et déconcerte parce qu'il a conscience de ce qu'il est. Angélique est trop fine pour être ridicule. Par ailleurs, ses revendications sont-elles toutes illégitimes ?

Le comique de caractère se manifeste à travers des personnages plus complexes qu'il n'y paraît au premier abord. C'est un comique qui engendre l'hésitation.

Un comique de l'ambiguïté

Le comique, dans *George Dandin,* frôle parfois le drame, s'il ne l'atteint pas. On n'a pas manqué de souligner combien on pouvait le dire à propos du dénouement : Dandin vient d'être placé dans la position la plus grotesque qu'on puisse imaginer, et il évoque même une possibilité de suicide. C'est sur cette note que se clôt la pièce pour le spectateur moderne. Comment George Dandin va-t-il trouver sa vérité ?

Voilà qui amène à constater que cette comédie développe la situation inverse de celle des comédies classiques où le dénouement entraîne habituellement la conclusion d'un mariage. La fin de *George Dandin* présente la dislocation définitive d'un couple. Et si la dernière scène fait rire, elle n'en est pas moins teintée d'amertume. Ce n'est plus le simple rire de la farce, ni celui de la satire, mais peut-être celui de la dérision. Si *George Dandin* n'est pas une pièce noire, n'est-elle pas, pour le moins, une comédie ambiguë ?

Au-delà des distinctions habituelles entre les diverses formes de comique, *George Dandin* pose la grande question du lien entre comique et vérité. Nous sommes loin du jugement d'un contemporain de Molière, Christian Huyghens, qui voyait dans la pièce une comédie « faite fort à la hâte et peu de chose ».

Le théâtre au temps de Molière

Les trois grandes troupes parisiennes

En 1658, année qui consacre le grand retour de Molière à Paris, trois compagnies donnaient régulièrement des représentations dans la capitale.

La troupe du Marais

Spécialisée dans la farce et les pièces à machines, cette troupe ne jouissait que d'une réputation médiocre ; elle ne parvenait pas à conserver de grands comédiens dans ses rangs. Molière envisagea de s'associer avec elle ; le projet ne put aboutir, mais entre la troupe du Marais et Molière les rapports demeurèrent bons.

La troupe de l'Hôtel de Bourgogne

C'était la compagnie la plus réputée. Elle comportait un nombre imposant d'acteurs dont certains étaient très aimés du public. Son directeur se nommait Floridor ; gentilhomme aimant particulièrement le théâtre, il se cachait derrière un pseudonyme. Il avait une autorité incontestée sur la troupe dont il était l'une des vedettes. Ceux que l'on appelait aussi les « Grands Comédiens » dominaient la scène française depuis de nombreuses années et jouaient surtout des tragédies, dans un style déclamatoire.

Pour avoir essayé de jouer des tragédies d'une autre manière, Molière heurta le goût de l'époque et connut l'échec à chaque tentative. À partir de 1659, sa troupe et celle de l'Hôtel de Bourgogne devinrent ennemies. Molière se moqua des Grands

Comédiens dès 1659, dans *les Précieuses ridicules*. De leur côté, les comédiens de l'Hôtel de Bourgogne tentèrent d'attirer des acteurs de la troupe de Molière lorsque celui-ci se trouva pendant un temps sans pouvoir disposer d'une salle, vers la fin de 1660.

Les comédiens-italiens

La troisième troupe, celle des comédiens-italiens, effectuait de fréquents séjours à Paris. Durant ces périodes, ces comédiens occupaient la salle du Petit-Bourbon, que Molière partagea avec eux jusqu'en 1660. Puis les deux troupes durent partager la salle du Palais-Royal. Les Italiens jouaient, dans leur langue, des comédies ou des farces ; ils exploitaient les improvisations à partir de canevas (qu'on appellerait aujourd'hui des synopsis). Leur jeu, par tradition et du fait des problèmes de langue, donnait une grande importance aux attitudes du corps.

Au début, Molière dut verser une indemnité aux Italiens pour pouvoir partager leur salle. Mais, dès l'installation au Palais-Royal, la situation fut inversée : les Italiens versèrent une redevance à Molière qui avait financé des travaux importants pour la remise en état du théâtre.

Les autres troupes

À côté de ces troupes qui jouaient régulièrement dans des salles, coexistait un théâtre d'une nature particulière, celui de la Foire. Il s'agissait de la foire Saint-Germain. Des baraques, en particulier dans le secteur du Pont-Neuf, accueillaient des médecins ambulants, des arracheurs de dents et des apothicaires, qui vendaient aux badauds des remèdes miraculeux. Pour attirer le public, ces charlatans engageaient des saltimbanques ou des comédiens ambulants. On pouvait donc assister à de petites représentations, généralement des farces.

Dans les grandes villes de province, certaines troupes disposaient d'une salle et gagnaient bien leur vie. C'est ainsi que la troupe de Molière connut le succès et mena une existence fastueuse à Lyon, en 1656-1657, puis à Rouen, en 1659.

Parallèlement, les petites villes n'étaient visitées que par des troupes ambulantes. Leurs habitants n'assistaient donc qu'à des représentations occasionnelles. Les troupes qui ne jouaient pas régulièrement connaissaient une vie difficile. Dans la France de cette époque, seul un petit nombre d'acteurs menaient une vie aisée.

Le public

Quel était ce public qui faisait vivre les troupes ou les condamnait à disparaître ? *La Critique de l'École des femmes* donne des indications claires. Le public pouvait être divisé en deux groupes distincts, selon la hiérarchie sociale de l'époque : les galeries et le parterre.

Dans les galeries venaient s'asseoir les gentilshommes, les dames nobles, la Cour. Au parterre, s'entassaient les bourgeois, les marchands, les artisans, les écoliers, les laquais...

Entre ces deux groupes les relations n'étaient pas toujours bonnes, les beaux esprits des galeries méprisant la grossièreté du parterre où bourgeois et hommes du peuple manifestaient bruyamment leurs sentiments. Mais ces derniers avaient pour eux l'avantage du nombre : une pièce ne pouvait durer que si elle était soutenue par le parterre. La Cour pouvait assurer le succès d'une pièce pendant quelques soirées, mais non le maintien d'un spectacle pendant une saison.

L'opposition du parterre et des galeries
L'opposition entre le parterre et les galeries peut être illustrée par un exemple amusant ; c'est l'une de ces nombreuses

anecdotes qui jalonnent la vie de Molière. Lors de la première représentation de *l'École des femmes*, le 26 décembre 1662, un certain Plapisson, habitué des salons parisiens, provoqua un scandale. À chaque fois qu'un jeu de scène amusait le public, Plapisson se tournait vers le parterre, lui montrait le poing et lui criait : « Ris donc, parterre ! Ris ! ». Ces interventions ne firent qu'augmenter la joie du public. En même temps, l'anecdote montre bien que les spectateurs de l'époque étaient souvent bruyants, et pas toujours attentifs, dans les galeries comme au parterre.

Molière et ses spectateurs

La tradition distingue donc entre le goût raffiné des galeries et le bon sens du parterre. Mais ce public, si divers, avait aussi des goûts communs : le comique (et même la farce), et les pièces à machines plaisaient à tous. Molière a donc régulièrement cherché à satisfaire en même temps et la Cour et le peuple. Par ailleurs, les comédies-ballets eurent une importance croissante dans le répertoire de sa troupe, car le roi appréciait beaucoup ce genre théâtral. Lors des représentations, il arrivait que le roi danse sur scène certains ballets.

Molière n'est donc pas seulement un auteur, mais aussi un directeur de troupe soucieux de bien faire vivre ses comédiens.

Quelques spectateurs particuliers

Il faut aussi signaler une tradition de l'époque : certains spectateurs de marque pouvaient occuper des fauteuils sur la scène. On imagine mal une telle situation dans nos théâtres ; mais c'est de la scène que Plapisson invectivait le parterre lors de la fameuse représentation de *l' École des femmes* ! Enfin, la scène recevait un banc sur lequel prenaient place les auteurs et les comédiens concurrents. C'était le banc de ceux qui jugeaient selon les règles de l'art. Molière s'en est souvent moqué.

Les représentations

L'orateur

Quand une nouvelle pièce allait être jouée, le public était averti par des annonces. Lors de chaque représentation donnée par une troupe, l'un des comédiens faisait l'office d'orateur. Il tenait au public un discours dans lequel il mentionnait la pièce qui allait être présentée et en faisait l'éloge, la publicité en quelque sorte. Molière a rempli régulièrement cette fonction qu'il n'abandonna que dans les dernières années de sa vie.

Les affiches

Le discours de l'orateur était complété par la publication d'affiches. Celles-ci comportaient un texte assez long qui présentait la pièce à venir et en vantait les mérites. Le texte de l'affiche ressemblait donc au discours de l'orateur. Les affiches du Palais-Royal étaient noir et rouge. Molière les a rédigées entre 1658 et 1664, malheureusement aucune d'entre elles n'a été conservée.

Les lectures

Avant de présenter une pièce, on la faisait aussi connaître par des lectures. À partir de 1660, les auteurs prirent même l'habitude de lire dans les salons de larges extraits de leurs pièces avant de les porter aux comédiens. On essayait ainsi de préparer l'accueil de la pièce. Molière, qui s'était moqué de cette pratique dans *les Précieuses ridicules*, en usa pourtant à plusieurs reprises, en particulier lorsqu'il essaya de créer un courant d'opinion destiné à favoriser la levée de l'interdiction qui frappait *le Tartuffe*.

Le programme

Quel était le programme d'un spectacle ? On sait que Molière présentait généralement deux pièces : par exemple, une tragédie en 5 actes et une comédie en 3 actes. La pièce sérieuse était toujours jouée la première. Lorsque le spectacle comportait deux comédies, la comédie la plus courte était jouée en second et pouvait être remplacée par une farce.

Molière a présenté des spectacles de longueurs très diverses, à la différence de ce qui se faisait alors dans les autres théâtres. En revanche, il a suivi la tradition qui voulait qu'on termine par la pièce la plus gaie et la plus facile à suivre : le spectateur devait quitter la salle dans de bonnes dispositions et être prêt à y revenir.

Le programme était souvent renouvelé car le public de l'époque n'était pas assez nombreux pour permettre à une pièce de multiples représentations. *L'École des femmes*, qui connut un grand succès, ne put pourtant dépasser le nombre de 70 représentations du vivant de Molière ! Beaucoup de pièces ne furent jouées qu'une vingtaine de fois. Par ailleurs, Molière choisissait généralement de jouer pour la première fois la pièce le vendredi ou le dimanche, jours connus pour favoriser de grosses recettes. Annoncée pour deux heures, la représentation commençait en fait après les vêpres, vers cinq heures. Les entractes étaient signalés par des violons.

Le prix des places

Le prix des places subit une forte augmentation entre 1650 et 1660. Les critiques ont relevé l'indication donnée par *la Critique de l'École des femmes*, en 1663 : une place dans les loges des galeries revenait à 110 sous, les places au parterre coûtaient sept à huit fois moins.

Un certain nombre de spectateurs pouvaient assister aux représentations sans payer : les princes, les ducs, les pages et les mousquetaires.

Toutes les occasions d'augmenter le prix des places étaient exploitées : une pièce à machines et à effets, comme *Dom Juan*, permettait de doubler les prix. Il en était de même lorsqu'une pièce était très attendue, comme ce fut le cas du *Tartuffe*, le 5 février 1669.

Les salles occupées par Molière

Lors de ses débuts manqués à Paris, la troupe de l'*Illustre-Théâtre* avait souffert d'occuper des salles situées dans des faubourgs. Le répertoire proposé n'était pas de première qualité, mais ce handicap avait été aggravé par les lieux de représentation où le public ne se rendait guère. Les environs de la tour de Nesle ou de Saint-Paul n'étaient pas, à l'époque, des quartiers où l'on allait au spectacle.

Le Petit-Bourbon

Molière retint la leçon ; en 1658, lorsqu'il revint pour ses véritables débuts parisiens, il effectua des démarches qui aboutirent à l'installation de sa troupe dans la salle du Petit-Bourbon : excellent emplacement puisque celle-ci était attenante au palais du Louvre, où résidait alors le roi.

C'était, pour l'époque, une grande salle, qui pouvait accueillir plus d'un millier de spectateurs. De part et d'autre du parterre, on pouvait voir des balcons, partagés en loges. La scène avait la forme d'un carré de 15 mètres de côté. Molière joua dans cette salle de novembre 1658 jusqu'en octobre 1660. La salle fut alors détruite pour permettre au Louvre de s'agrandir.

Le Palais-Royal

La destruction de la salle du Petit-Bourbon intervint à une période de l'année favorable aux bonnes recettes. Les travaux pour la remise en état du Palais-Royal durèrent plusieurs mois. Pendant ce temps, la troupe de Molière joua fréquemment en visite. Elle occupa ses nouveaux locaux à partir de janvier 1661, jusqu'à la mort de Molière.

La salle du Palais-Royal, proche du Louvre, était aussi bien située que la précédente. En outre, elle était plus grande et les travaux l'avaient rendue capable d'accueillir des pièces à machines — dont le public était friand.

131

Les recettes de la troupe de Molière

Le registre tenu par La Grange, à partir de 1659, apporte des renseignements précieux sur le montant des recettes. Leur baisse signifiait qu'il fallait modifier le programme.

Si l'on utilise ce critère pour mesurer le succès des pièces de Molière, la première place revient incontestablement au *Tartuffe*. Lors de la première du 5 février 1669, la recette atteignit le montant record de 2 800 livres. Cette comédie fut présentée 37 fois au cours de la saison et rapporta 45 000 livres, contre 10 500 pour *l'Avare*, 6 000 pour *George Dandin*, 2 000 pour *Amphitryon*, 2 000 pour *le Misanthrope*, et 88 livres pour l'unique représentation de *Rodogune*, le public n'appréciant pas du tout les tragédies de Corneille jouées par Molière.

Les comédiens qui entouraient Molière gagnaient très bien leur vie. Ainsi, la saison 1671-1672 permit à chacun des membres de la troupe de recevoir une part de 4 200 livres, somme importante pour l'époque (un ouvrier parisien gagnait moins de 200 livres par an).

Molière, *George Dandin*, et les critiques

La défense du bon goût

Les contemporains de Molière ont souvent été sensibles à sa peinture des caractères. Certains ont souligné à la fois la force du comique et regretté un certain manque de « naturel ». C'est, notamment, le cas de Fénelon (1651-1715).

D'ailleurs [Molière] a souvent outré les caractères : il a voulu, par cette liberté, plaire au parterre, frapper les spectateurs les moins délicats, et rendre le ridicule plus sensible. Mais quoiqu'on doive marquer chaque passion dans son plus fort degré, et par ses traits les plus vifs, pour en mieux montrer l'excès et la difformité, on n'a pas besoin de forcer la nature et d'abandonner le vraisemblable...

Lettre à l'Académie française.

George Dandin : une comédie « rosse » ?

Les critiques modernes ont parfois été tentés de souligner la part de satire virulente que l'on rencontre dans *George Dandin*. Ils ont donc présenté la pièce comme une comédie où les oppositions entre les personnages, le ridicule qui les frappe tous, engendrent un rire mêlé d'amertume.

Le trait vraiment intéressant qui caractérise *George Dandin*, c'est la qualité nouvelle de son rire. S'il était permis [...], on dirait que cette pièce est une comédie rosse. Qu'on observe les personnages. George Dandin est grotesque et ne fait pas pitié, car on le devine sans amour, médiocre et vaniteux. Mais Angélique, Clitandre, les Sotenville sont pires...

Antoine Adam,
Histoire de la littérature française au XVIIe siècle,
t. III, Domat, 1952.

On y trouve d'abord une savoureuse peinture des petits hobereaux de province, fiers de leur blason et de leurs ancêtres, mais le plus souvent pauvres et pour qui les dots des brus et les biens des gendres bourgeois venaient à point pour « fumer leurs terres ». Méprisant ces filles et fils de bourgeois ou de paysans dont ils recherchaient l'alliance, ils fournissent à la noblesse de cour, riche et oisive, un éternel sujet de raillerie [...]

Cette comédie, qui paraît au premier abord n'être qu'une farce destinée à faire rire, se révèle cependant, en filigrane, chargée de graves problèmes sociaux et moraux, ce qui lui donne une résonance particulière. [...] En effet, contrairement à l'habitude de Molière, on n'y trouve ni un couple, ni un personnage sympathique. Les Sotenville sont vaniteux et crédules [...] ; Angélique, malgré sa tentative de justification, reste une rouée et une femme égoïste qui cherche à tromper son mari avec un Clitandre falot,... [George Dandin], ridicule tout naturellement par son cocuage, n'attire guère la sympathie [...] Il a donc, lui aussi, sa part de responsabilité dans son propre malheur...

Georges Mongrédien,
Œuvres complètes de Molière, t. III,
Flammarion, 1975.

Certaines mises en scène ont presque complètement exclu le rire de la pièce. Bien entendu de tels choix ont soulevé des discussions passionnées. Voici le point de vue d'un critique qui a été conquis par ce type de mise en scène :

Le sort de Dandin n'est pas drôle, un point c'est tout [...] On rit donc peu, ou moins, mais d'un rire plus haut, plus amer. [...]

Enfin, il y a un Robert Hirsch [...] Il suffit de l'entendre murmurer pour lui-même ses « Oh ! George Dandin ! » C'est déchirant. Qu'il soit prostré, ou qu'il s'apprête à triompher (quand juché sur sa chaise, au balcon de la chambre, il attend les beaux-parents), les passages de la fureur contrainte à la haine et les retours à la prostration sont inoubliables. Qu'on ne dise pas que cela peut être joué autrement [...] Ce spectacle montre le désespoir. Un point c'est tout.

François-Régis Bastide,
Au théâtre certains soirs, le Seuil, 1972.

Une satire pleine d'« agréments » ?

Jacques Copeau a tenu à souligner le mélange complexe du comique et des accents de révolte dans la comédie de Molière. Cependant, il finit par relever la dominante comique.

Il est vrai qu'on peut relever çà et là, dans ces dialogues si aisés, si vrais et si variés de ton, quelques sonorités un peu mates qui ne sont pas loin de l'amertume. « George Dandin, George Dandin, vous avez fait une sottise la plus grande du monde... Ah ! George Dandin... vous l'avez voulu, vous l'avez voulu, cela vous sied fort bien... » Ce sont ces continuels retours, ces appels à soi-même qui peuvent donner une nuance de sérieux au personnage, et, je le répète, son manque de brio. Dandin n'est nullement un fantoche ni un couard, comme le Sganarelle du *Cocu imaginaire*. Il parle peu. Il grommelle. Par moments, il se tait complètement : « Je ne dis mot, car je ne gagnerais rien à parler... » Il ne développe jamais. Il ressasse. Dans ses quelques moments de vigueur et de liberté, son langage rappelle celui de Mme Jourdain qui, en somme, est presque de la même classe : « Et quels avantages, Madame, puisque Madame il y a ? L'aventure n'a pas été mauvaise pour vous, car sans moi vos affaires, avec votre permission, étaient fort délabrées et mon argent a servi à reboucher d'assez bons trous ; mais moi, de quoi ai-je profité, je vous prie, que d'un allongement de nom, et au lieu de George Dandin d'avoir reçu de vous le titre de "Monsieur de la Dandinière" ? » Becque, deux cents ans plus tard, reprendra ce ton-là. Et dans le second monologue de Dandin, à la scène 3 de l'acte I, dans ce départ un peu solennel, dans cette attaque un peu balancée : « Hé bien ! George Dandin, vous voyez de quel air votre femme vous traite »... il y a quelque chose qui fait penser à Beaumarchais. Il est enfin certain que, pour un spectateur moderne, les excuses à Clitandre et l'agenouillement devant Angélique ne vont pas tout à fait de soi. [...] Dandin n'acquiesce pas. Il s'agenouille. Mais il est révolté, et parle aussitôt de s'aller jeter à l'eau. Ce final de quatre lignes a quelque chose de tranchant dans son laconisme. Ce n'est pas toujours ici l'accent de la satire qui durcit le ton de la comédie. Quelques-uns des sentiments exprimés le sont avec une vigueur qui ne vient pas de la surface de l'âme. Voyez Angélique, à la scène 2 de l'acte II. Elle parle à son mari comme le Cléante de *l'Avare* parle à son père. Dandin lui rappelle les engagements de la foi qu'elle lui a donnée. Elle répond : « Moi ? je ne vous l'ai point donnée de bon cœur, et vous me l'avez arrachée... » Et ce qui suit. Et ce qui précède, qui est peut-être encore plus roide. Je vous assure que cette petite dépeint ses humeurs et les besoins de son instinct avec des couleurs qui semblent empruntées à certaines tirades de *Dom Juan*.

Mais tout cela est enveloppé de tant d'agréments et de grâce ! Molière [...] a su faire un chef-d'œuvre du personnage du valet Lubin... « *Vous comprenez bien ?... Vous entendez bien ?...* » Et il y a un autre valet qui saute par la fenêtre, des poursuites et des méprises dans la nuit, des manèges et des pantomimes d'amants, des mouvements qui par leur vivacité nous rappellent un scénario plus sommaire : tout à coup, dans la fameuse scène de la porte fermée, nous nous retrouvons en pleine tradition des anciens conteurs, et la vieille farce du *Barbouillé* nous montre son frais visage. Vous rappelez-vous qu'à la fin de la *Jalousie*, Villebrequin s'écriait de la façon la plus gratuite : « Allons-nous-en souper ensemble, nous autres » ? Dans *le Mari confondu*, Molière a tiré de cette réplique celle que M. de Sotenville lance si plaisamment à Mme de Sotenville : « Et nous, mamour, allons nous mettre au lit. »

Jacques Copeau,
Registres II, Molière, Gallimard, 1976.

137

Avant ou après la lecture

Rédactions

1. Imaginez deux portraits de George Dandin, l'un selon le point de vue des Sotenville, l'autre fait par le héros lui-même.

2. George Dandin écrit à l'un de ses parents pour se plaindre. Imaginez cette lettre.

Débats

1. Les personnages sont-ils tous ridicules dans cette pièce ?

2. Pensez-vous que *George Dandin* soit un drame ou une comédie ? Pour préparer ces débats, se reporter aux jugements sur la pièce (voir p. 133).

3. Pouvons-nous rencontrer encore le problème des mariages ou de la vie entre gens de conditions très différentes ? Se reporter à la Documentation thématique, p. 105.

Recherches et exposés

1. D'après la pièce, et à l'aide de documents historiques, imaginer la vie et la condition des femmes au XVIIe siècle. (Consulter la Documentation thématique, p. 105.)

2. En relisant la pièce, en cherchant des documents dans les manuels d'histoire, etc., distinguer le monde des nobles et celui des bourgeois au XVIIe siècle. Qu'est-ce qui les différencie dans leur langage, leur éducation, leurs costumes, leurs ambitions, leurs ridicules, etc. ?

3. La farce dans *George Dandin*, ses formes, son rôle. Penser au comique de gestes, de mots, mais aussi aux répétitions, aux situations, etc.

Mises en scène

1. Jouer le personnage de George Dandin en essayant de retrouver des attitudes et la diction de Molière. (Se reporter à la première approche, p. 4.)
2. Essayer d'imaginer une mise en scène et le jeu des personnages dans les trois scènes d'humiliation de George Dandin. (Lire « Molière, *George Dandin* et les critiques », p. 133.)

Bibliographie, filmographie

Édition de Molière :
L'édition la plus complète est celle de Georges Couton dans la Bibliothèque de la Pléiade, 2 vol., Gallimard, 1983. *George Dandin* figure dans le volume II.

Sur Molière :
A. Adam, *Histoire de la littérature française au XVIIe siècle*, t. III, Domat, 1952.
M. Boulgakov, *le Roman de Monsieur de Molière*, Lebovici, 1972.
R. Bray, *Molière, homme de théâtre*, Mercure de France, 1954.
J. Copeau, *Registres II, Molière*, Gallimard, 1976.
R. Jasinski, *Molière*, Hatier, 1969.
G. Mongrédien, *la Vie privée de Molière*, Hachette, 1950.

Sur le théâtre :
G. Conesa, *le Dialogue moliéresque*, P.U.F., 1974.
R. Garapon, *la Fantaisie verbale et le Comique dans le théâtre français du Moyen Âge à la fin au XVIIe siecle*, Armand Colin, 1957.
J. Scherer, *la Dramaturgie classique en France*, Nizet, 1950.

Sur la langue de Molière :
J. Dubois, R. Lagane et A. Lerond, *Dictionnaire du français classique*, Larousse, coll. « Références », 1988.
A. Haase, *Syntaxe française du XVIIe siècle*, Delagrave.

Films :
George Dandin de Roger Planchon, 1988.
Molière d'Ariane Mnouchkine, 1978.

Petit dictionnaire
du théâtre

acte *(nom masc.)* : chacune des divisions principales d'une pièce, qu'un entracte sépare. Chaque acte comprend des scènes.

aparté *(nom masc.)* : paroles d'un personnage que les spectateurs sont les seuls à entendre.

bouffon *(adj.)* : ce qui excite un gros rire et paraît un peu fou.

comédie *(nom fém.)* : pièce qui représente une action de la vie courante, en faisant rire des mœurs, des défauts ou des ridicules des gens.

comique *(nom masc.)* : ce qui provoque le rire. On distingue traditionnellement :
• le comique de gestes, lié aux gestes et attitudes des personnages ;
• le comique de situation, par exemple lors d'un quiproquo ;
• le comique de mots, lié à un emploi inattendu, bizarre de certains mots ou expressions ;
• le comique de caractère, produit par les défauts, les manies de certains personnages.

À ces distinctions, on peut ajouter une catégorie supplémentaire, celle du comique de farce, qui repose sur le comique de gestes, de mots, de situation, lorsque des causes simples provoquent des situations bouffonnes.

dénouement *(nom masc.)* : manière dont s'achève l'intrigue, avec la solution que reçoivent les problèmes posés au début de la pièce.

dialogue *(nom masc.)* : échange de répliques entre, au moins, deux personnes.

exposition *(nom fém.)* : partie de la pièce (généralement les premières scènes) où le spectateur reçoit toutes les informations dont il a besoin pour suivre l'intrigue.

farce *(nom fém.)* : petite pièce comique, très simple, où dominent les jeux de scène.

intrigue *(nom fém.)* : ensemble des événements imaginés par l'auteur, ainsi que leur combinaison.

jeu de scène : ensemble d'attitudes prises par les personnages qui produisent des effets sur la scène.

lazzi *(nom masc.)* : plaisanterie, jeu de scène bouffon.

monologue *(nom masc.)* : scène où un personnage parle seul.

péripétie *(nom fém.)* : événement inattendu qui survient, modifie l'action et peut provoquer le dénouement.

quiproquo *(nom masc.)* : erreur qui fait prendre une personne pour une autre.

réplique *(nom fém.)* : paroles prononcées par un acteur en réponse à un autre acteur.

scène *(nom fém.)* : lieu où les acteurs jouent dans le théâtre, et, dans une pièce de théâtre, partie d'un acte délimitée par l'entrée et la sortie d'un ou plusieurs personnages.

tirade *(nom fém.)* : longue suite de phrases qu'un personnage dit d'un trait (en général pour essayer de convaincre un autre personnage).

Collection fondée par Félix Guirand en 1933, poursuivie par Léon Lejealle de 1945 à 1968 puis par Jacques Demougin jusqu'en 1987.

Nouvelle édition
Conception éditoriale : Noëlle Degoud.
Coordination éditoriale : Emmanuelle Fillion,
Marie-Jeanne Miniscloux.
Collaboration rédactionnelle : Dominique Lambilliotte.
Coordination de fabrication : Marlène Delbeken, Martine Toudert.
Schémas : p. 2 : Léonie Schlosser, *p. 12-13 :* Thierry Chauchat.
Documentation iconographique : Nicole Laguigné.

Sources des illustrations
Collection Kipa : p. 5.
Lauros-Giraudon : p. 8.
Hachette : p. 20.
Jean-Loup Charmet : p. 15.
Roger-Viollet (coll. Viollet) : p. 19, 39.
Collection Cahiers du cinéma : p. 28, 76, 87.
Monique Rubinel pour Enguérand : p. 50.
Steinberger-Enguérand : p. 59, 63.
Larousse : p. 103.

Composition : SCP Bordeaux.
Imprimerie Hérissey – 27000 Évreux - N° 62037
Dépôt légal : décembre 1989. – N° de série Éditeur : 17566.
imprimé en france *(Printed in France)* 871309 L – septembre 1993

Dans la nouvelle collection
Classiques Larousse

H. C. Andersen : *Contes choisis.*

H. de Balzac : *les Chouans.*

P. de Beaumarchais : *le Barbier de Séville ; le Mariage de Figaro.*

F.-R. de Chateaubriand : *Mémoires d'Outre-tombe* (I à III) ; *René.*

P. Corneille : *le Cid ; Cinna ; Horace ; l'Illusion comique ; Polyeucte.*

A. Daudet : *Lettres de mon moulin.*

G. Flaubert : *Hérodias ; Un cœur simple.*

T. Gautier : *la Morte amoureuse, Contes et récits fantastiques.*

G. et W. Grimm : *Hansel et Gretel, et autres contes.*

Victor Hugo : *Hernani.*

E. Labiche : *la Cagnotte ; le Voyage de M. Perrichon.*

La Bruyère : *Caractères.*

La Fontaine : *Fables* (livres I à VI).

P. de Marivaux : *l'Ile des esclaves ; la Double Inconstance ;
les Fausses Confidences ; le Jeu de l'amour et du hasard.*

G. de Maupassant : *Boule de suif et autres nouvelles de guerre ;
Un réveillon, contes et nouvelles de Normandie.*

P. Mérimée : *Carmen ; Colomba ; Mateo Falcone ; la Vénus d'Ille.*

Molière : *Amphitryon ; l'Avare ; le Bourgeois gentilhomme ; Dom Juan ;
l'École des femmes ; les Femmes savantes ; les Fourberies de Scapin ; George
Dandin ; le Malade imaginaire ; le Médecin malgré lui ; le Misanthrope ;
les Précieuses ridicules ; le Tartuffe.*

Ch. L. de Montesquieu : *Lettres persanes.*

A. de Musset : *les Caprices de Marianne ; Lorenzaccio ;
On ne badine pas avec l'amour.*

Ch. Perrault : *Histoires ou Contes du temps passé.*

E. A. Poe : *Double Assassinat dans la rue Morgue, suivi de la Lettre volée.*

J. Racine : *Andromaque ; Bajazet ; Bérénice ; Britannicus ; Iphigénie ; Phèdre.*
Le Surréalisme et ses alentours.

Voltaire : *Candide ; Zadig.*

(Extrait du catalogue général des Classiques Larousse)